LUCIENNE ET LE BOUCHER

ŒUVRES DE MARCEL AYMÉ

Aux Éditions Bernard Grasset

LA TÊTE DES AUTRES (théâtre).
VOGUE LA GALÈRE (théâtre).
CLÉRAMBARD (théâtre).

Éditions Gallimard.

ALLER RETOUR.
LES JUMEAUX DU DIABLE.
LA TABLE AUX CREVÉS.
LA RUE SANS NOM.
BRULEBOIS.
LE VAURIEN.
LE PUITS AUX IMAGES.
LA JUMENT VERTE.
LE NAIN.
MAISON BASSE.

LE MOULIN DE LA SOURDINE.
GUSTALIN.
DERRIÈRE CHEZ MARTIN.
LES CONTES DU CHAT PERCHÉ.
LE BŒUF CLANDESTIN.
LA BELLE IMAGE.
TRAVELINGUE.
LA VOUIVRE.
LE CHEMIN DES ÉCOLIERS.
LE VIN DE PARIS.

LES CONTES DU CHAT PERCHÉ
albums illustrés

L'ÉLÉPHANT.
LE MAUVAIS JARS.
LA BUSE ET LE COCHON.
L'ANE ET LE CHEVAL.
LE CERF ET LE CHIEN.
LE PAON.
LES CYGNES.

LE MOUTON.
LE CANARD ET LA PANTHÈRE.
LES BOITES DE PEINTURE.
LE LOUP.
LES BŒUFS.
LE PROBLÈME.

ÉDITIONS ILLUSTRÉES

LA JUMENT VERTE.   TRAVELINGUE.

Aux Éditions du Sagittaire.

SILHOUETTE DU SCANDALE.

Parus dans le Livre de Poche.

LA JUMENT VERTE.
LA TÊTE DES AUTRES.

LE PASSE-MURAILLE.
CLÉRAMBARD.

MARCEL AYMÉ

Lucienne et le boucher

PIÈCE EN QUATRE ACTES

BERNARD GRASSET

PERSONNAGES

MOREAU

DUXIN

ALFRED

LUCIENNE

MADELEINE

MADEMOISELLE VORBE

LE DOCTEUR

LA VIEILLE

CORBIN

LA GROSSE CAISSE

JULIE

LE COMMISSAIRE

Clients, passants, flâneurs, jeunes gens, musiciens, agents.

ACTE PREMIER

Vues de face et séparées par un couloir, deux boutiques. Celle de droite est une bijouterie. Sur la vitrine, en lettres blanches : *Moreau, joaillier, horloger*. L'autre boutique est une boucherie : *Boucherie Duxin*. Un veau ouvert est pendu à l'étal.

Scène première

Duxin sur le seuil de la boucherie. Son fils Alfred, venant
de la boutique, le rejoint.

DUXIN, posant sa main sur l'épaule d'Alfred.

Mon petit, quand tu connaîtras le métier à fond, tu
sauras qu'entre deux veaux qui font dix kilos de
différence, ce n'est pas forcément le plus lourd qui
est le plus avantageux. Oh! ce n'est pas toujours facile
à décider. Et c'est justement là où on connaît les fins
bouchers, les vrais bouchers. Il faut savoir tâter, regarder le poil, regarder les yeux...

ALFRED

Les yeux?

DUXIN

Parfaitement, les yeux. Il n'y a rien que vous parle
comme un œil de veau, quand on connaît son affaire.
Tiens, le jour où j'ai acheté ce monsieur-là (*Il donne*

une claque à son veau), je me suis décidé sur l'œil et sur le poil. Est-ce que je me suis trompé?

ALFRED

Il n'est pas mal.

DUXIN

S'il n'est pas mal? Je crois bien! Dans une bête comme voilà, il n'y a autant dire point de déchet. On mangerait les tripes sur du pain. Pas vrai?

ALFRED

Oui, bien sûr.

DUXIN

J'ai pourtant payé ça trois francs dix sous...

MOREAU

Il accompagne un client sur le seuil de la bijouterie.

Un simple nettoyage suffira, monsieur, votre montre sera comme neuve. Il faut dire que c'est une bonne montre.

LE CLIENT

Mon grand-père disait...

MOREAU

Aujourd'hui, on ne fait plus de mouvements comme ceux-là. On n'en fait plus.

DUXIN, attendri.

Trois francs dix sous... (*Il rit.*) Oh! sur pied, bien entendu...

MOREAU

Moi qui vous parle, j'ai appris le vrai métier d'hor-

loger quand j'étais à l'école d'horlogerie, du temps
où l'on formait encore des artistes. Aujourd'hui, monsieur, il n'y a plus que le travail en série, la machine,
la spécialisation...

LE CLIENT

J'ai connu autrefois...

MOREAU

Ah! oui, autrefois... bien sûr, autrefois... Mais le
temps a passé. Finis les vrais horlogers, finis les vrais
artistes... Nous ne sommes plus que quelques-uns.

DUXIN, à Alfred.

Ecoute-moi le vieux serin.

ALFRED

Pourquoi, le vieux serin?

Il hausse les épaules et rentre dans la boucherie.

LE CLIENT

Alors, monsieur Moreau, je viendrai chercher ma
montre mardi?

MOREAU

Mardi? Ah! non, c'est impossible. Mardi, je suis
obligé de fermer le magasin.

DUXIN, à mi-voix.

Fermer le magasin!... Comme si on l'obligeait...

MOREAU, baissant la voix.

A cause d'un imbécile de propriétaire — mon voisin le boucher — qui choisit justement ce jour-là pour

réparer la façade. (*Très haut.*) Vous pensez comme la
façade a besoin d'être réparée! Regardez-la un peu, la
façade! non, mais regardez-la...

LE CLIENT, levant la tête.

En effet, voilà une façade qui est toute neuve...

DUXIN

Toute neuve! Allons, voilà que ça recommence.
Tiens, Alfred...

Il rentre dans la boucherie.

MOREAU

Toute neuve! Je ne vous le fais pas dire! Mais cet
homme-là ne sait qu'imaginer pour entraver le libre
exercice de ma profession.

LE CLIENT

D'ici à lundi vous n'aurez pas le temps...

MOREAU

Que voulez-vous, c'est un malheur des temps que
de tels individus puissent faire fortune aussi rapide-
ment. Ils n'ont pas l'habitude de l'argent, ils sont gri-
sés par la chance.

LE CLIENT

Pour ma montre...

MOREAU

Si je vous disais que ce boucher n'avait autant dire
pas un sou quand il est arrivé ici! Pas un sou, vous
m'entendez? Il s'est installé à la place du libraire qui

a fait de mauvaises affaires — encore un signe des temps... ce libraire était une intelligence d'élite.

LE CLIENT

Je me rappelle, je me rappelle... un homme de valeur...

MOREAU

Aujourd'hui, ce sont ces gens-là qui font faillite. Je vous dis que le monde est renversé.

LE CLIENT

Monsieur Moreau, je vous demande pardon, mais je crois...

MOREAU

Du tout, c'est moi qui vous dois des excuses, mais je reviens à notre boucher. Je n'avais ouvert cette parenthèse que pour vous faire entendre combien l'époque est injuste envers les gens capables.

LE CLIENT

Il n'y a rien de plus vrai. Tenez, monsieur Moreau, moi-même...

MOREAU

A présent, on ne respecte plus rien, le mérite ne compte pas.

LE CLIENT

Moi-même, cher monsieur...

MOREAU

Il ne s'agit que de gagner de l'argent.

LE CLIENT

Moi-même...

MOREAU

Ah! le temps n'est plus où l'on exigeait d'un commerçant qu'il fût d'abord un homme...

LE CLIENT

Pardonnez-moi, monsieur Moreau, il se fait tard...

MOREAU

Vous avez raison, j'y viens justement. Qu'est-ce que je vous disais... oui, ce Duxin est arrivé ici avec son fils Alfred il y a quatre ans sans qu'on ait pu savoir au juste d'où il venait. Car c'est là le plus beau, il n'est même pas de la région!

LE CLIENT

C'est insensé... même pas de la région...

MOREAU

Eh bien, vous me croirez si vous voulez, mais l'année dernière, il achetait la maison où je suis locataire depuis vingt-deux ans!

LE CLIENT

Hein, tout de même... voilà un homme habile...

MOREAU

Oh! un homme habile... Je la connais, la maison, une vieille baraque qui ne tient pas debout et qui a toujours besoin de réparations. Vous pensez bien que si j'avais voulu l'acheter, ce n'est pas l'argent qui m'aurait manqué...

LE CLIENT

Oh! je pensais bien...

MOREAU

Grâce à Dieu, mes bénéfices sont encore appréciables. Voyez-vous, c'est justement ce qui fait enrager notre boucher. Tout propriétaire qu'il est, il ne peut pas imposer à un homme qui paie patente depuis vingt-deux ans. Vous comprenez...

LE CLIENT

Monsieur Moreau, quelle heure est-il?

MOREAU

Il saisit le client par son veston.

5 h 25 à l'observatoire de Greenwich. (*Baissant la voix.*) Depuis quelque temps la tour Eiffel ne me paraît pas bien sûre. (*Haut.*) Vous comprenez pourquoi Duxin est jaloux, hein? vous comprenez, hein... Mais j'ai encore seize ans de bail, et ses manœuvres ne m'intimident pas, moi.

LE CLIENT

Bien sûr...

MOREAU

Oui, bien sûr! C'est pourtant ce que ma femme ne veut pas comprendre! Vous connaissez Mme Moreau, ce n'est pas une personne timide, n'est-ce pas?

LE CLIENT

5 h 25.

MOREAU

Eh bien, en face de cet animal de boucher, elle perd toute son assurance. On dirait qu'elle a peur de lui déplaire parce qu'il est propriétaire. Je lui dis tous les jours : « Mais voyons, Lucienne, puisque nous avons seize ans de bail! » Rien n'y fait, rien... Mais jusqu'à ma fille Madeleine, une enfant qui entre dans sa dix-septième année...

LE CLIENT

Monsieur Moreau, je suis bien fâché, mais...

MOREAU

Tout seul! Je suis tout seul à organiser la résistance... Par exemple, je vous assure que notre homme a enfin trouvé à qui parler. Tenez, pour le coup de la façade, j'ai imaginé une petite sanction qui va bien lui rabattre son caquet. Vous m'en direz des nouvelles.

LE CLIENT

Au revoir, monsieur Moreau. J'enverrai prendre ma montre mercredi.

MOREAU

Repassez donc dans un moment, vous verrez l'air penaud du boucher...

LE CLIENT

Oui, oui...

Il sort par la droite.

Scène II

Le boucher est revenu sur le seuil de sa boutique. Pendant qu'il parle à Alfred demeuré dans la boutique,
Moreau installe dans sa vitrine une énorme pancarte en
lettres majuscules : *Fermeture mardi à cause de la mauvaise foi du boucher.*

DUXIN, à Alfred.

Moi je te dis que c'est une calamité d'avoir dans sa
maison un pareil abruti... quoi? Ce n'est pas vrai? un
raccommodeur de pendules qui passe le plus clair de
son temps à déblatérer contre moi? et qui vous mène
un potin du diable avec ses seize ans de bail? Quoi?
non, Alfred, ne dis pas le contraire. Tout à l'heure
encore, est-ce qu'il n'essayait pas d'ameuter sa clientèle contre moi?... Non, Alfred, fous-moi la paix, tu
n'y comprends rien... (*Il soupire et se parle à lui-
même.*) Ah! si ce n'était pas de sa femme... Mais je
ne veux pas faire d'ennui à Mme Moreau, c'est une
personne trop convenable et qui n'a pas les idées de
son mari. (*Soupir.*) Jolie femme, nom de nom! jolie
femme et qui ne méritait pas d'être mariée à ce
vieux-là... (*A Alfred.*) Tu as pensé à mettre du mou
de côté pour les chats du percepteur?... Bon! (*Se parlant à lui-même.*) Une femme comme je pourrais m'en
souhaiter une, moi qui suis veuf depuis six ans...

Trop jolie femme, dans un sens, trop distinguée pour la boucherie... Une taille, bon Dieu, et des machins... Ah! je lui en donnerais, moi, de la fidélité à son bijoutier... (*Moreau sort pour juger de l'effet de sa pancarte.*) Tiens, voilà l'autre qui revient. Qu'est-ce qu'il a encore à ricaner...

> Un passant entre par la droite. Il s'arrête devant la pancarte.

PREMIER PASSANT, à Moreau.

Ah! ah! vous ne vous laissez pas marcher sur les pieds, vous. C'est assez bien trouvé, mais dites-moi, vous ne craignez pas les suites? C'est qu'il est de taille à se défendre...

MOREAU, hautain.

Il y a des brutes qu'on n'apprivoise pas. On les dompte.

PREMIER PASSANT

Je vous souhaite bonne chance...

DUXIN

Je me demande...

PREMIER PASSANT, arrivant devant Duxin.

Ah! ah! il vous arrange bien, le bijoutier!

DUXIN

Le... Ah! j'en étais sûr... Qu'est-ce qu'il vous a dit? Il aura encore parlé contre moi, c'est tous les jours la même chanson...

PREMIER PASSANT, en s'éloignant.

Oh! il ne se contente pas de parler...

DUXIN

Comment, il ne se contente pas...? Qu'est-ce que ça veut dire? Du diable si je comprends... et l'autre qui ricane toujours...

DEUXIÈME PASSANT

Même jeu que le premier.

Mes compliments, c'est une trouvaille. Au moins, la clientèle sait à quoi s'en tenir. Mais vous ne le ménagez guère, le voisin...

MOREAU

Il y a des brutes qu'on n'apprivoise pas. On les dompte.

DUXIN, au deuxième passant qui arrive devant lui.

Qu'est-ce qu'il peut bien radoter, le vieux?

DEUXIÈME PASSANT

Vous n'avez pas lu la pancarte? Je vous conseille de la lire. Elle va joliment vous intéresser!

DUXIN

La pancarte? Mais quelle pancarte?

DEUXIÈME PASSANT, en s'éloignant.

Lisez-la, lisez-la...

DUXIN

La pancarte... Nom de...! (*Il se retourne et*

crie.) Alfred! prépare le morceau de bœuf pour Mme Labride! (*Il s'élance et tombe en arrêt devant la pancarte*.) Si jamais je m'attendais... Vous allez m'ôter ça, hein? Vous allez m'ôter cette saleté-là tout de suite... vous m'avez compris, tout de suite.

MOREAU recule.

Ne me touchez pas! Ne me touchez pas! Ces mains rouges de sang...

DUXIN

Ces mains...

MOREAU

Ces bras rouges de sang... Vous me faites horreur. Arrière! ou j'appelle au secours. Arrière, vous dis-je!

DUXIN

Vous n'avez pas le droit! je saurai bien vous obliger à l'ôter...

MOREAU

M'obliger!

DUXIN

Un homme de votre âge! Vous devriez être honteux! Mauvaise foi du boucher? Et qu'est-ce qu'il vous a fait, le boucher? Dites-le donc!

MOREAU

Je n'ai pas de compte à rendre à un...

DUXIN

On vous fait des réparations, et vous en profitez pour me traîner dans la boue. (*Passe une femme.*

Duxin masque la pancarte.) Je dis bien, dans la boue!

MOREAU

A chacun sa place, monsieur.

DUXIN

Moi, je tiens à l'estime des gens, parce que je suis un commerçant honnête, qui vend de la bonne viande...

MOREAU

Oh! de la bonne viande...

DUXIN

Parfaitement, de la bonne viande. Je dis que votre pancarte me fait du tort, et j'entends qu'elle disparaisse! Je ne veux pas...

MOREAU

Permettez, permettez, je suis peut-être le maître chez moi. Si j'ai mis cette pancarte dans ma vitrine, je ne vous oblige pas à la lire. D'ailleurs, je ne veux pas discuter avec vous. Boucher, laissez-moi passer.

DUXIN

Vous profitez de ce que vous êtes bâti comme un gringalet...

MOREAU

Je ne vous répondrai pas.

DUXIN

Vous savez que je suis trop bon garçon pour m'attaquer à un homme...

MOREAU

Laissez-moi passer.

DUXIN

... à un homme qui n'est pas plus épais qu'un bifteck de 3 francs. Ne vous y fiez pas, la patience finira par me manquer...

MOREAU

Encore une fois, laissez-moi passer. Je n'ai pas le temps...

DUXIN, *douloureux.*

La mauvaise foi du boucher? Non, ce n'est pas croyable... Deux commerçants, deux voisins, est-ce qu'il ne vaudrait pas mieux s'accorder, se rendre service à l'occasion, comme deux commerçants, enfin!

MOREAU

Boucher, n'allez pas plus loin, je trouve ce rapprochement tout à fait déplacé, et il ne me plaît pas que vous mettiez nos deux professions sur ce pied de fraternité. Sachez-le, mon commerce de joaillerie n'a que trop souffert de la promiscuité de votre établissement.

DUXIN

Mon établissement? Croirait-on pas...

MOREAU

Il y a cinq ans, avant votre installation, j'avais le voisinage d'un libraire. C'était un homme bien élevé, monsieur. Nos deux magasins, si je puis dire, se complétaient. Ici le domaine des arts, là le domaine de la pensée. Il n'était pas rare qu'un client, venu pour m'acheter une théière d'argent ou une pendule de bronze, s'en allât chargé par surcroît des œuvres de Victor Hugo.

DUXIN

Quand même, mon métier est aussi honorable qu'un autre, et pas si facile qu'on croit...

MOREAU

Dirait-on pas, à vous entendre...

DUXIN

Dirait-on pas? Je voudrais bien vous voir découper un bœuf, ou seulement l'assommer, là (*Il veut toucher la tête de Moreau qui recule.*) d'un seul coup de masse. Mais non, je vous vois mieux occupé à clignoter sur vos ressorts de montre. Rentrez donc dans votre bijouterie.

> Alfred apparaît sur le seuil de la boucherie, Madeleine sur le seuil de la bijouterie. Sourires. Ils disparaissent à la fin de la scène.

MOREAU

Encore une fois, je n'apprécie pas votre démangeaison de comparer votre métier au mien. Sachez-le, on ne devient pas horloger comme on se met à tuer des moutons...

DUXIN

Ça va bien, n'en faites pas un plat.

MOREAU

Pour apprendre mon art, il m'a fallu passer de

longues années à l'école d'horlogerie, et j'en suis sorti avec une somme de connaissances...

DUXIN
Des connaissances d'horlogerie, quoi!...

MOREAU
Enfin, j'ai un diplôme, moi, sur parchemin, avec trois signatures, sans compter celle de l'impétrant. Faites-moi donc voir des bouchers qui aient un diplôme! Est-ce que vous avez un diplôme vous?

DUXIN
Qu'est-ce que j'en ferais? (*Il se claque les biceps.*) Mes diplômes, à moi, les voilà! Pour votre parchemin, je ne veux pas en dire de mal. En tout cas, il ne vous a pas appris les bonnes façons.

MOREAU
Boucher, je vous savais sans éducation, mais je ne vous croyais pas aussi bassement envieux. Allons, laissez-moi passer.

DUXIN
C'est ça, rentrez dans votre bijouterie, et, si vous n'avez pas retiré l'écriteau dans cinq minutes, c'est moi qui viendrai vous secouer le paletot.

MOREAU
Vous n'ignorez pas que les joailliers sont toujours armés. Je me défendrai!

DUXIN
Tant mieux, je n'aurai pas besoin de me retenir...

MOREAU

Je vous actionnerai en justice...

DUXIN

Et moi aussi, je vous actionnerai... à coups de galoche dans les fesses, que je vous actionnerai!

MOREAU

Grossier!... Grossier!

DUXIN

Vous allez voir si...

Scène III

Mme Moreau, en tenue de ville, entre par la gauche.

LUCIENNE

Ah! naturellement, encore une querelle! Je ne peux plus m'éloigner d'un pas sans que vous échangiez des injures. C'est toi, Moreau, qui as provoqué M. Duxin?

MOREAU

Mais non, Lucienne, justement, ce n'est pas moi. M. Duxin est venu me soutenir ici qu'il est plus difficile et plus méritoire de faire un boucher qu'un artiste horloger!

DUXIN

Moi? Mais jamais de la vie!

LUCIENNE

M. Duxin avait raison, comme d'habitude...

MOREAU

Naturellement, tu le soutiens!

LUCIENNE

M. Duxin n'aurait besoin que d'un apprentissage pour devenir horloger. (*Avec mépris.*) Mais toi, tu ne seras jamais capable de porter un veau sur tes épaules ou d'assommer un bœuf d'un coup de masse.

DUXIN, à Moreau.

Qu'est-ce que je vous disais?

LUCIENNE

D'ailleurs, j'ai bien de la peine à croire que M. Duxin se soit dérangé pour vanter la supériorité de sa profession sur la tienne. Ce n'est pas de son caractère.

DUXIN

Bien sûr que non!

LUCIENNE

Enfin, que s'est-il passé, au juste? J'ai bien le droit de savoir. Voyons, Moreau, explique-moi.

MOREAU

Non, non, j'ai tous les torts, c'est entendu, c'est jugé d'avance. Mets-toi de son côté, dis-lui qu'il a raison, dis-lui que tu es satisfaite de ce voisinage malodorant.

de cette boutique d'égorgeurs fréquentée par des femmes en cheveux...

LUCIENNE

Ah! non, Moreau, tu ne vas pas recommencer!

MOREAU

Propose-lui donc de résilier notre bail. Pourquoi pas?

LUCIENNE

Tu nous ennuies avec ton bail. Il n'est pas question...

MOREAU

Il faudra bien que j'en passe par là, si cet homme... Mais non, je crache en l'air. Toi, tu trouves naturel que je sois obligé de fermer mon magasin mardi...

LUCIENNE

Nous n'en sortirons pas, si tu continues à répondre à côté. J'aurais mieux fait d'interroger d'abord M. Duxin... La querelle n'est tout de même pas venue à propos de ces réparations?

DUXIN

Il faut croire que si, mais ce n'est pas moi qui l'ai cherchée. Les réparations sont nécessaires, elles sont urgentes, les réparations.

MOREAU

Elles ont attendu vingt-deux ans, elles pourraient encore attendre.

DUXIN

Mais ce n'est pas moi qui le dis, c'est l'architecte. J'ai demandé vingt fois à votre mari quel jour il préférait avoir les ouvriers, il n'a jamais voulu me répondre. A la fin, j'ai été obligé de prendre jour avec l'entrepreneur.

LUCIENNE

C'est évident, c'est évident.

DUXIN

Je comprends bien que M. Moreau en soit gêné, mais le moyen de faire autrement? Et puis, les travaux ne sont pas si importants qu'ils exigent la fermeture du magasin.

MOREAU

Ça vous est égal que mes clients reçoivent des briques sur la tête.

DUXIN

Je vous ai dit qu'il n'y avait aucun danger et, si je vous l'ai dit, c'est que je me suis renseigné. Voyez donc, ces travaux-là doivent se poursuivre mercredi au-dessus de la boucherie, et ce n'est pas ce qui va m'empêcher de vendre ma viande comme d'habitude. Non, monsieur Moreau, non, je vous répète que vous n'aviez pas le droit de me faire cet affront devant toute la ville.

LUCIENNE

Un affront? Mais quel affront? Moreau...

MOREAU

Je ne lui ai rien dit...

DUXIN

Non, vous n'avez rien dit, mais vous avez fait mieux, et il y a des moments où la patience finit par manquer au plus doux. Tenez, madame Moreau, retournez-vous, et dites-moi s'il n'y a pas de quoi mettre un honnête homme en colère.

LUCIENNE

Oh! Par exemple! C'est trop fort! Tu as osé... Ah! Moreau, Moreau...

MOREAU

Tu ne comprends pas...

LUCIENNE

Tais-toi... Monsieur Duxin, soyez tranquille, l'écriteau va disparaître immédiatement, et je vous promets que cette plaisanterie n'aura pas d'autres suites.

DUXIN

Vous êtes bien aimable, madame Moreau...

LUCIENNE

Je vous assure que je suis confuse...

DUXIN

Oh! il n'y a pas de mal... Seulement, dans le commerce, vous savez ce que c'est, n'est-ce pas...

Il regagne la boucherie.

SCÈNE IV

MOREAU, rentrant dans sa boutique

Voilà du bruit pour une petite affaire...

LUCIENNE, sur le seuil.

Une petite affaire? Imbécile, alors tu ne comprends pas que tu nous couvres de ridicule aux yeux de toute la ville? Ce n'était pas assez de tes jérémiades et de ton diplôme sur parchemin, il faut encore... Allons, ôte-moi cette pancarte!

MOREAU, depuis la boutique, d'une voix molle.

C'est bon, je vais l'ôter.

Une foule de trois personnes passe en se hâtant devant la bijouterie, et se masse sur la gauche, comme hésitant.

LUCIENNE

Où peut bien aller toute cette foule?

VOIX DANS LA FOULE

— C'est le cordonnier qui a fait le coup!

— Le cordonnier de la rue des Tiercelines...

— Il paraît que ce serait une vieille femme.

— Mais non, elle a dix-huit ans...

— La police est chez lui.

— Une femme qui aurait déjà passé le retour d'âge...

— Je vous dis que la police l'a emmené...

— Mais non, c'est une gamine...

— Un cordonnier qui était pourtant électeur...

LUCIENNE, à une vieille femme qui se hâte en claudiquant.

Mon Dieu, mademoiselle Vorbe, mais que s'est-il passé? J'entends tous ces gens crier, discuter...

Mlle VORBE, s'arrêtant.

Ah! Madame Moreau, mais vous ne savez donc pas que le cordonnier de la rue des Tiercelines vient d'abuser d'une jeunesse de dix-huit ans!

LUCIENNE

Allons donc!

Mlle VORBE

Je vous le dis! Une servante de dix-huit ans. Elle venait chercher les chaussures de sa patronne...

LUCIENNE

Et vous dites qu'il l'aurait...

Mlle VORBE, véhémente.

Violée, madame Moreau, violée!

LA FOULE, en sourdine.

Violée...

Mlle VORBE

Le cordonnier l'a jetée par terre, croyez-vous, hein? Là, par terre, derrière son établi, sur une pile de souliers...

LUCIENNE

C'est incroyable!

Mlle VORBE

Pensez donc, madame Moreau, sur la pile de bottines! Il paraît qu'elle s'est débattue et qu'elle a crié... On est arrivé trop tard...

LA FOULE
Lamentation.

Trop tard...

Mlle VORBE

Il l'avait déjà déshonorée trois fois, vous m'entendez, madame Moreau, trois fois!

LA FOULE, accablée.

Trois fois...

LUCIENNE

C'est... c'est bouleversant...

Mlle VORBE

Il paraît qu'elle n'avait pas lâché son parapluie, même pendant qu'il était...

LA FOULE, attendrie.

Son parapluie...

Mlle VORBE

Ah! madame Moreau, quand arrive le printemps, on peut être sûr qu'il va se passer des horreurs... (*Bas, avec un clin d'œil.*) Et il s'en passe bien d'autres qu'on ne connaît pas. Dites, madame Moreau, vous ne croyez pas? Hein? Dites...

LUCIENNE, émue.

Je ne sais pas, moi, je ne sais pas, mademoiselle Vorbe...

Mlle VORBE

Et dire, madame Moreau, dire que ce matin encore, je lui portais une paire de souliers à réparer. Ah! j'ai bien vu qu'il me regardait drôlement!

VOIX DANS LA FOULE

— Là-bas, entre deux agents, c'est lui!

— C'est lui, il traverse la place.

— Le cordonnier...

La foule sort par la gauche.

Mlle VORBE

Vous entendez? La police l'emmène, je vais voir. (*Après quelques pas, elle se ravise.*) Des gens comme ce cordonnier, madame Moreau, on devrait leur ôter les moyens de recommencer, leur ôter les moyens! (*Elle se hâte vers la gauche en riant nerveusement.*) Les moyens! Les moyens! Les moyens!

Scène v

MOREAU, apparaît sur le seuil de la boutique. Qu'est-ce que c'est?

LUCIENNE, lentement.

Le cordonnier de la rue des Tiercelines vient de violer une jeune fille.

MOREAU

Le cordonnier de la rue... Oh! par exemple! Mais tu es sûre?

LUCIENNE, haussant les épaules.

Ne pose donc pas de question stupide, Moreau. Bien sûr qu'il l'a violée, je ne vois pas ce qu'il y a d'extraordinaire.

MOREAU

Tout de même, Lucienne, tout de même. Tu conviendras que c'est un peu fort. Là, dans la rue des Tiercelines, à deux pas de chez nous...

LUCIENNE

C'est vrai, à deux pas de chez nous... Je ne l'ai jamais vu, ce cordonnier. Tu le connaissais, toi?

MOREAU

Moi? Oh! je le connaissais de vue, c'est tout.

LUCIENNE

Il faut qu'un homme soit diablement fort tout de même...

MOREAU

Un goujat, ce cordonnier, un dégoûtant personnage!

LUCIENNE, sèchement.

Je ne te demande pas ton opinion... Eh bien, m'as-tu ôté cette pancarte?

MOREAU

Ecoute, Lucienne, il faut que tu saches..., il faut...,
je suis sûre que tu n'as pas saisi l'intention du boucher. Vois-tu, et je le disais tout à l'heure encore à
un client, cet homme-là est jaloux de moi...

LUCIENNE

Pas de raisonnements, va m'ôter cette pancarte. (*On
voit, derrière la vitrine, Moreau retirer la pancarte.*)
Le boucher jaloux de Moreau? Par exemple! Je me
demande ce qu'il pourrait bien t'envier, le boucher...
(*Elle rit.*) Quand je pense... (*Durement.*) Jaloux de
Moreau! Mais, mon pauvre ami, quand on a le
malheur d'être fait comme te voilà fait, on a au
moins l'habileté de passer inaperçu, de vivre dans
l'ombre de son arrière-boutique et d'y réparer les pendules sans tapage. On ne va pas attirer l'attention sur
soi, en affichant des écriteaux ridicules. Et surtout,
oh! surtout, on doit avoir la modestie de ne pas se
mettre en comparaison avec un homme tel que Duxin.
(*Elle tourne le dos à la boutique et se parle à elle-
même.*) Ce boucher, voilà un homme... un homme. Il
n'a pas ce visage triste et sournois, cette taille étri-
quée, ces petits gestes de pantin... Ses mains, ses bras,
son corps, tout est solide... Et une poitrine, et une
carrure. (*Silence.*) Il est fort comme un Turc. Pourtant, des yeux doux, tranquilles...

MOREAU, de l'intérieur.

Lucienne, il faudrait pourtant commencer à débal-
ler les petites cuillers en argent. Tu sais que la

semaine prochaine, les Perrin vont marier leurs deux filles.

LUCIENNE

La santé, la force, et quelque chose... (*A Moreau.*) Oui, oui, déballe et fiche-moi la paix!

Le boucher sort sur le pas de la boucherie. Lucienne le regarde longuement. Sourires. Arrive une cliente.

LA CLIENTE

Bonjour, madame Moreau, vous alliez sortir?

LUCIENNE

Mais non, au contraire, je rentrais...

LA CLIENTE

Je suis bien contente, vous allez m'aider à choisir une garniture de cheminée, vous avez...

LUCIENNE

Mais oui...

LA CLIENTE

A propos, est-ce que vous êtes au courant de l'affaire du cordonnier?

LUCIENNE

L'affaire du cordonnier? Mais non.

LA CLIENTE

Le cordonnier de la rue des Tiercelines...

LUCIENNE

Je ne sais rien du tout, racontez-moi...

LA CLIENTE

Et bien, figurez-vous, madame Moreau...

> Elle entre dans la boutique, précédant Lucienne.
> Madeleine débouche du couloir et s'arrête pour se
> poudrer.

DUXIN

Comme elle m'a regardé!... Ah! cette femme-là!...

MADELEINE, tout en se poudrant.

Si maman... me voyait... mettre de la poudre...

SCÈNE VI

> Alfred sort de la boucherie et rencontre Madeleine à l'en-
> trée du couloir.

MADELEINE

Oh! Monsieur Alfred...

ALFRED

Je vous demande pardon... Je vous ai dérangée.
C'est sans le faire exprès.

MADELEINE

Vous ne me dérangez pas du tout. Mon père m'en-
voie à la poste porter une lettre recommandée. Alors,
je vais à la poste.

ALFRED

A cette heure-ci, vous n'attendrez pas longtemps. Ce

n'est pas comme à six heures et demie... L'autre jour, j'ai attendu presque trois quarts d'heure.

MADELEINE

Vous envoyez des rosbifs par la poste?

ALFRED

Mon métier de boucher vous fait rire?

MADELEINE

Mais non, Alfred, pas du tout.

ALFRED

Oh! Vous pouvez me le dire, je ne m'en vexerai pas.

MADELEINE

Je vous assure... si vous saviez...

ALFRED

Un boucher, ce n'est jamais une compagnie agréable. On a un tablier taché de sang, on manie de la viande, on trimbale des bêtes qui vous saignent sur les bras... on sent la viande et la sciure de bois... Ah! ce n'est pas comme dans la bijouterie!

MADELEINE

Oh! vous savez, la bijouterie... D'abord, ce sont mes parents qui sont dans la bijouterie, moi je ne suis rien... J'attends...

ALFRED

Tout de même, quand on a grandi dans les pendules de marbre, c'est autre chose que d'avoir toujours vu de la viande. Dans la bijouterie, on a de la conversation, on sait se faire écouter... Il y a de la différence, allez... La preuve en est que M. Moreau ne peut pas s'accorder avec mon père.

MADELEINE

Nous n'y sommes pour rien, Alfred...

ALFRED

N'importe, ce n'est pas fait pour nous rapprocher. Tenez, depuis quatre ans que je suis votre voisin, je ne vous aperçois jamais que dans le couloir...

MADELEINE

Ce n'est pas ma faute.

ALFRED

C'est même la première fois que vous me parlez aussi longtemps.

MADELEINE

Naturellement, je ne vous ai pas sitôt ouvert la bouche que vous vous sauvez. C'est à croire que je vous fais peur.

ALFRED

Je voudrais bien vous voir à ma place.

MADELEINE

Je ne serais pas embarrassée du tout. Je me déclarerais carrément. Mais vous êtes là...

ALFRED

Si vous n'étiez pas dans la bijouterie...

MADELEINE

Mais vous m'embêtez avec votre bijouterie. Vous êtes entêté. Puisqu'on vous dit qu'on n'est pas dans la bijouterie. Je vous répète que je me fiche des pendules de marbre et des chaînes de montre...

ALFRED

Oui, oui, on dit ça...

MADELEINE

Le métier que j'aime, Alfred, c'est le vôtre. Ah! vendre du filet, Alfred! Vendre de l'entrecôte! De la longe de veau! Vendre du mou pour les chats!

ALFRED

Ah! vous ne parlez pas sérieusement... Le mou pour les chats, ce n'est pas sérieux.

MADELEINE

Moi aussi, j'aurais des galoches, un tablier blanc... Vous me diriez : « Madeleine, coupe une tranche dans le filet! Madeleine, prépare un pot-au-feu! » Et je suis forte, vous savez... Touchez mes bras... Allons, touchez! On vous dit de toucher...

ALFRED

C'est vrai. On ne le croirait pas. Vous êtes si mince, Madeleine, et bien plus jolie qu'il ne faut pour couper de la viande. C'est justement ce qui me fait peur.

MADELEINE

On m'appellera la jolie bouchère. Je pense que vous serez fier de votre femme...

ALFRED

Madeleine, je voudrais être sûr..., vous comprenez, je prends les choses au sérieux, moi...

MADELEINE

J'y compte bien!

ALFRED

Je voudrais être sûr que vous ne vous emballez pas sur les galoches ou le tablier blanc, mais qu'il y a autre chose de plus...

MADELEINE

Mon Dieu! Il faudrait tout vous dire à la fois... Ce n'est pourtant pas à moi de vous faire une déclaration. Jusqu'à présent, il me semble que vous m'avez surtout laissée parler. J'aimerais bien qu'à votre tour...

ALFRED

Madeleine...

DUXIN, sur le seuil de la boutique.

Alfred! Alfred!

MADELEINE, à mi-voix.

Pas de chance..., au moment où vous alliez peut-être vous décider...

ALFRED

Madeleine, il faut que nous nous voyions plus longtemps...

MADELEINE

Eh bien, donnez-moi un rendez-vous. Qu'est-ce que vous attendez?

ALFRED

Un rendez-vous...

DUXIN

Alfred! Qu'est-ce qu'il peut bien foutre...

ALFRED

Demain dimanche, à la musique. Je vous attendrai dans l'allée bleue. Il n'y aura sûrement personne.

MADELEINE

Vous pouvez compter sur moi. Au revoir, Alfred, au revoir.

DUXIN

Il doit être monté chez nous.

ALFRED

Au revoir, Madeleine...

Il sort du couloir.

SCÈNE VII

DUXIN

Je t'appelle depuis trois quarts d'heure. Qu'est-ce que tu fais donc?

ALFRED

J'étais dans la cour en train de fermer le robinet.

DUXIN

Tu as pris ton temps. Allons, rentre garder la boutique, je vais jusqu'au bureau de tabac.

MADELEINE

Il est encore si timide, il n'a pas osé...

DUXIN

Tiens, tu penseras à parer la tête de veau qu'on viendra prendre avant dîner.

MADELEINE, sortant du couloir.

Bonjour, monsieur Duxin.

DUXIN

Bonjour, mademoiselle Madeleine. Vous allez en promenade. Belle soirée.

MADELEINE

Une petite promenade, monsieur Duxin, je vais au bureau de poste.

DUXIN

Et moi, au bureau de tabac, c'est encore plus près. Je profite d'un moment de répit...

MADELEINE

Vous êtes si occupé...

DUXIN

Ma foi, oui, ce n'est pas l'ouvrage qui manque.

Moreau sort sur le pas de sa porte.

MADELEINE

Savez-vous, je crois qu'il faudrait une personne de plus dans la boutique.

DUXIN

Bien sûr, elle ne serait pas de trop.

MADELEINE

Quelqu'un de jeune, d'alerte... une jeune femme...

DUXIN

Oui, c'est bien ce qui nous manque...

MOREAU, irrité.

Madeleine!

DUXIN

Au revoir, mademoiselle Madeleine.

Il sort par la gauche.

MADELEINE

Monsieur Duxin...

Elle rejoint son père.

MOREAU

Qu'est-ce que vous disiez, tous les deux?

MADELEINE

M. Duxin me parlait du beau temps.

MOREAU

Oui, ça commence toujours par le beau temps. On connaît la chanson. Avec de pareils individus...

MADELEINE

Qu'est-ce que tu veux dire?

MOREAU

Ce boucher-là est une brute à ne reculer devant
rien. Tu ne trouves pas qu'il ressemble justement au
cordonnier de la rue des Tiercelines?

MADELEINE

Non, je ne trouve pas.

MOREAU

N'importe, je t'interdis de lui adresser la parole. Ta
mère lui a déjà témoigné trop d'indulgence, il en abu-
sera un jour pour notre malheur à tous.

MADELEINE

Comment veux-tu...?

MOREAU

Ah! Je ne comprends pas ta mère, je ne comprends
pas que le sentiment de notre dignité lui échappe
aussi complètement.

MADELEINE

Je t'assure, je ne vois pas en quoi notre dignité...

MOREAU

Autrefois, elle avait plus d'intransigeance. Elle n'aurait pas souffert qu'un coupeur de viande m'insultât
au regard de toute la rue, de toute la ville!

MADELEINE

Maman n'a pas changé d'attitude.

MOREAU

Et moi, je te dis qu'elle a changé... depuis que ce Duxin est devenu propriétaire. Ah! les femmes des commerçants les plus respectables ont d'étranges lubies.

MADELEINE

Des lubies?

MOREAU

Si tu avais toi-même un sentiment plus juste des convenances... De quoi ai-je l'air aux yeux du monde, je te demande un peu? Cet homme-là ne perd pas une occasion de me nuire, mais ma femme et ma fille ne savent que faire pour se mettre dans ses bonnes grâces.

MADELEINE

Mais je n'ai rien fait qui vaille de te mettre en colère. M. Duxin me parlait aimablement, je n'allais pas l'envoyer promener!

MOREAU

Si! Justement! Tu devais passer sans l'entendre, sans l'apercevoir.

MADELEINE

On ne peut pourtant pas...

MOREAU

De tels rustres ne sont humiliés que par le mépris des femmes. Un homme d'esprit peut disputer tout un jour avec ces intelligences bornées, il n'en aura pas raison. Mais qu'une femme, ou même une jeune fille, leur fasse sentir son dédain, et voilà toute la boucherie muselée d'un mot, d'un regard, d'un silence!

MADELEINE

Mais je ne méprise pas M. Duxin, moi.

MOREAU

Tu dois le mépriser... je le méprise bien, moi!

MADELEINE

Je t'assure qu'il s'est toujours montré avec moi d'une politesse parfaite.

MOREAU

C'est heureux pour lui.

MADELEINE

J'en pourrais dire autant de son fils... Je dirai même qu'Alfred est presque trop réservé, trop timide...

MOREAU

Peut-être vaut-il mieux que son père... il n'y a pas grand mérite.

MADELEINE

Très gentil, tu sais, et si généreux, si sensible... Alfred a aussi une façon de regarder, avec des yeux si doux... des yeux si tendres... Tu n'as jamais remarqué?

MOREAU

Non, ma foi... Mais tu parais le connaître beaucoup mieux que moi.

MADELEINE

Oui, oui, je... (*Se reprenant.*) C'est-à-dire que je l'ai rencontré quelquefois dans le couloir ou dans l'escalier. Nous n'avons fait qu'échanger quelques mots, et je ne peux pas dire que je le connaisse vraiment.

MOREAU

Eh bien, ma fille, je pense que tu le connais déjà trop...

MADELEINE

Mais, puisque je te dis...

MOREAU

Quand il aurait les plus beaux yeux du monde et toutes les qualités, quand même il aurait l'instruction, tu m'entends bien, l'instruction! cet Alfred serait encore un boucher, Duxin, fils de boucher, et c'est assez pour que je t'interdise de lui adresser jamais la parole.

MADELEINE

Ne jamais adresser la parole à Alfred! N'y compte pas! J'aimerais mieux...

MOREAU

Comment? Tu as l'audace...?

MADELEINE

Il n'y a personne...

MOREAU

Malgré la défense de ton père, tu persistes... Ah! gamine! Je saurai bien...

MADELEINE

Il n'y a personne qui puisse m'empêcher...

Lucienne apparaît au seuil de la bijouterie, Madeleine se tait.

LUCIENNE

Encore une dispute? J'espère qu'il ne s'agit pas de réparations.

MADELEINE

Je voulais dire...

MOREAU

Crois-tu que cette gamine-là ose me tenir tête? Et avec quelle audace!

MADELEINE

Je disais simplement!...

MOREAU

Une gamine qui n'a pas encore ses dix-sept ans! C'est incroyable! Encore un signe des temps...

LUCIENNE

Eh bien, Madeleine?

MADELEINE

Papa veut m'empêcher d'adresser la parole à Alfred!

LUCIENNE

Si ton père a jugé raisonnable d'interdire toute conversation avec Alfred, tu t'inclineras.

MOREAU, à Madeleine.

Ah! Ah!

LUCIENNE

Les parents ne parlent pas à tort et à travers, mais dans l'intérêt des enfants, qui n'ont pas à apprécier leurs décisions.

MADELEINE

Mais, maman, Alfred est un voisin.

LUCIENNE

Quant à Alfred, je suis précisément de l'avis de ton père. Il ne me plaît pas qu'on puisse voir ma fille bavarder dans la compagnie d'un garçon boucher. Une jeune fille bien élevée choisit mieux ses amitiés.

MOREAU

Est-ce que je suis l'ami du boucher, moi?

LUCIENNE

D'ailleurs, tu es assez grande à présent pour comprendre qu'une telle fréquentation peut prêter aux commentaires les plus fâcheux.

MADELEINE

Maman, je t'assure qu'Alfred est très gentil, très réservé..., si tu le connaissais mieux...

LUCIENNE

Voyons, Madeleine, n'insiste pas. Ton père et moi avons dit là-dessus tout ce qu'il fallait dire. Alfred est peut-être un excellent garçon, ce n'est pas une compagnie pour toi.

Elle rentre.

Scène VIII

MOREAU

Là..., là..., j'avais pourtant raison?

MADELEINE

Tu ne m'as pas soutenue.

MOREAU

Bien entendu, je ne t'ai pas soutenue. Ce n'était pas mon affaire non plus...

MADELEINE, *pleurnichant.*

Tu n'as pas de cœur. Si tu aimais ta fille...

MOREAU

Mais, ma pauvre enfant, tu sais bien que je ne pouvais pas te soutenir, puisque moi-même...

MADELEINE

Si. Tu devais me soutenir.

MOREAU

Ta mère m'aurait bien reçu!

MADELEINE

Naturellement, tu as eu peur!

MOREAU

Je n'ai pas eu peur du tout. Qu'est-ce que tu vas supposer...

MADELEINE

Tu as eu peur.

MOREAU

Mais non. J'ai fait ce qu'il fallait faire. Oh! je ne dis pas que ta mère n'ait pas été un peu catégorique. Après tout, il ne s'agit pas d'être impoli avec les gens, fussent-ils bouchers.

MADELEINE

Alors?

MOREAU

Quand je t'interdis d'adresser la parole à Alfred, j'entends seulement que tu ne t'attardes pas en conversation. Je n'irai pas me formaliser d'une parole échangée en passant.

MADELEINE

Tu vois comme tu étais injuste tout à l'heure. Ce pauvre Alfred.

MOREAU

Tu sais bien que je n'en avais pas à Alfred. Je suis persuadé que c'est un brave garçon... Allons, va à la poste, va...

MADELEINE

Je dirai à Alfred que tu l'aimes beaucoup...

MOREAU

Je te défends bien...

MADELEINE, s'éloignant sur la gauche.

Qu'il peut compter sur ta sympathie...

MOREAU

Si jamais...!

MADELEINE

Sur ton affection...

Elle sort.

MOREAU

Si sa mère nous entendait...

SCÈNE IX

Duxin entre par la droite.

DUXIN, jetant un coup d'œil sur la vitrine.

Ah! ah! on a pourtant retiré la pancarte.

MOREAU

Boucher, j'espère qu'après ce premier avertissement,
vous aurez la discrétion de rester à votre étal et de ne
plus troubler la paix d'un homme de bien qui a su
mettre de son côté le bon droit et l'élégance d'une
parfaite courtoisie.

DUXIN

Je n'ai pas voulu vous fâcher, monsieur Moreau.

Vous avez déjà assez d'ennuis à cause de la bonne.
Cette pauvre fille...

MOREAU

Pourquoi « pauvre fille »? nous n'avons pas l'habitude de maltraiter nos servantes. Que signifie cette
insinuation?

DUXIN

Je dis pauvre fille, parce que ce n'est jamais
agréable d'être violée par un cordonnier.

MOREAU

Le cordonnier? Voulez-vous dire que la victime
serait justement... mais non...

DUXIN

Augustine, oui, votre Augustine... Je vous croyais
au courant. Toute la ville en parle.

MOREAU

Mon Dieu! on a violé la bonne, la nôtre...
Lucienne! Ah! elle n'est pas là... je suis tout seul... (*Il
rentre dans la bijouterie.*) C'est une malédiction! un
pareil scandale...

DUXIN

Je n'aurais peut-être pas dû lui dire...

Il se dirige vers le couloir.

Scène x

Duxin se trouve en face de Lucienne qui débouche du couloir.

LUCIENNE

Ah! c'est vous... J'allais justement chercher ma
viande.

DUXIN

Je vais aller vous servir.

LUCIENNE

Je vous remercie.

DUXIN

C'est si naturel...

LUCIENNE, d'une voix un peu étranglée.

J'aime que ce soit vous qui me serviez.

DUXIN

Je vous garde toujours des bons morceaux.

LUCIENNE

J'aime... (*Un silence.*) J'aime vous voir... comme
vous êtes là, le cou dégagé, les bras nus, les bras forts.
J'aime vous voir prendre la viande, la claquer sur la

table. Le sang vous court sous la peau. Vos mains couvrent tout un bifteck. Elles sont fortes, vos mains.

DUXIN

Bien sûr, ce n'est pas des mains de pianiste.

LUCIENNE

Et quand vous cassez, quand vous coupez, on voit les muscles se durcir, là... (*Elle lui touche le bras.*) On voit l'effort de la poitrine, et des épaules, et des reins. On sent la santé, le muscle partout. Je ne sais pas pourquoi je vous dis ça... mais c'est Moreau... Je l'ai entendu dire tout à l'heure : ce Duxin est fort comme un Turc...

DUXIN

Question de santé, je n'ai pas à me plaindre, je me porte bien.

LUCIENNE

Tout est solide... tout est fort... même l'odeur du sang... et l'odeur de la peau, et l'odeur du poil. On respire... (*Silence.*) On voudrait être serrée dans ces bras-là, presser son ventre sur ton tablier...

DUXIN

Ah! madame Moreau...

LUCIENNE

Respirer le sang sur ta nuque, sur ta poitrine.

DUXIN

Madame Moreau... je suis si heureux... (*Il l'attire contre lui. Elle le gifle.*)

LUCIENNE

Goujat! Brute!

DUXIN

Je ne croyais pas... c'est vrai, je suis un dégoûtant...

LUCIENNE

Oui, dégoûtant... une brute! une grande brute! une sale brute de boucher!

DUXIN

C'est bon... puisque je me suis mis dans mon tort...

LUCIENNE

Vous êtes fourré dans les mauvais lieux tous les soirs, hein?

DUXIN

Non mais, en voilà des questions...

LUCIENNE

Comme une brute...

DUXIN

C'est mon affaire...

LUCIENNE

Tu y vas! Tu y vas! (*Elle se jette à son cou.*) Brute.

serre-moi, tutoie-moi. Serre-moi avec toutes tes forces, qu'on entende craquer mon corps... boucher...

DUXIN

Ah! bon Dieu, si jamais je m'y retrouve...

LUCIENNE

C'est ça, jure. Parle comme un homme. Je ne veux pas que tu me parles d'amour... pas maintenant... Je veux des bras d'homme. Boucher, boucher..., mon boucher... Mais embrasse-moi, empêche-moi de parler!

DUXIN

J'ai peur que ça finisse encore par des gifles...

LUCIENNE

C'est vrai, je t'ai giflé, mais il ne fallait pas y faire attention, il fallait poursuivre, montrer ta force...

DUXIN

Je vous dirai que ce n'est guère mon genre. Moi j'aime qu'on prépare les choses avec du sentiment... Et pourtant, je peux bien vous le dire à présent, mais quand je vous rencontrais dans l'escalier ou dans le couloir, j'en tremblais dans ma peau.

LUCIENNE

D'envie, hein? c'était d'envie que tu tremblais... Tu sais, je suis belle, tu verras... Tiens, regarde ma taille, regarde ma jambe! (*Elle découvre sa jambe.*) Tu t'en saouleras, boucher, tu t'en saouleras!

DUXIN

J'en suis déjà retourné, pour vous dire...

LUCIENNE

Tu ne sais pas encore ce que peut être une femme...

DUXIN

N'en promettez pas tant... à la fin, ça énerve, n'est-ce
pas...

LUCIENNE

Une femme à qui l'angoisse et le regret du plaisir
serrent la gorge depuis des années et qui lâche la bride
tout d'un coup, parce qu'elle ne peut plus se
défendre... (*Criant.*) Qui lâche la bride, qui lâche tout!

DUXIN

J'ai chaud sur la gueule.

LUCIENNE

Une femme qui dit à son corps : je n'ai plus la force
de résister. Il arrivera ce qui arrivera, pourvu que je
ne sente plus cette envie qui me serre la nuque comme
une main, qui me chauffe le ventre et qui me fait
suer, qui fait danser les bracelets devant mes yeux
quand je suis assise au comptoir de la bijouterie.

DUXIN

Ces choses-là, il vaut mieux ne pas en parler. Au
lieu de se fatiguer la tête, il n'y a qu'à prendre le plaisir comme il vient.

LUCIENNE

Voilà ce que j'ai promis à mon corps. Si tu savais, boucher, comme je suis pressée... J'ai tant attendu... J'étais bête... c'est si simple de se laisser aller, si simple qu'on n'y pense pas. On n'ose pas y penser.

DUXIN

Les femmes, ce n'est pas comme les hommes, tout de même.

LUCIENNE

Mais quand je venais à la boucherie, ou bien le soir en pensant au jour qui viendrait, et aussi quand je te voyais traverser la rue, le pas lourd et les épaules balancées, mes tempes battaient, mes mains devenaient froides...

DUXIN

Ça me faisait pareil... Mais moi, c'était plutôt le sentiment.

Il se frappe la poitrine.

LUCIENNE

Pourquoi m'avoir laissée attendre si longtemps!

DUXIN

Je n'osais pas. Quand on aime une femme, on en a peur. Et puis, l'impatience vous cravate. Je me disais : « Duxin, si tu rencontres Mme Moreau à la cave ou au grenier, sauve-toi si tu ne veux pas faire du vilain. » Voilà comme c'est, les hommes. Ils ont toujours peur d'être les plus forts. Surtout moi, parce que c'est dans ma nature d'aimer avec le cœur.

Il se frappe le cœur.

LUCIENNE

Tant mieux, tant mieux...

DUXIN

Je vous parle franchement...

LUCIENNE

Mais oui... (*Regardant l'heure à son bracelet.*) Oh!
oh! six heures moins cinq... et Moreau qui va sortir
pour aller au café... Avant de nous séparer, il faudrait
convenir d'un rendez-vous...

DUXIN

Demain dimanche?

LUCIENNE

Mais non, le dimanche, je l'ai sur le dos toute la
journée. Je le connais, il ne me quittera pas d'un pas.
Mon Dieu! comme il est gênant... déjà... Non, pas
demain.

DUXIN

Mais si, demain après-midi. Vous n'avez qu'à venir
à la musique et manœuvrer pour le perdre. Il n'y a
jamais personne dans l'allée bleue. Je vous attendrai
là.

LUCIENNE

J'essaierai.

DUXIN

Je vous attendrai jusqu'à la fin du concert.

LUCIENNE

Je viendrai, je te le promets.

DUXIN

Lucienne...

LUCIENNE

Est-ce qu'il vous reste du mouton? un morceau pas trop gras...

DUXIN

Dans l'épaule, j'aurais quelque chose de joli.

LUCIENNE

Je vais voir... Pour demain, il me faudrait un bon rôti... dans les quinze francs.

DUXIN

Soyez tranquille, je m'en occuperai... vous me direz si c'est tendre...

LUCIENNE

Je le voudrais de bonne heure. La bonne ira le chercher.

DUXIN

A propos, elle est revenue?

LUCIENNE

Qui?

DUXIN

La bonne... Ah! vous n'êtes pas au courant non plus... Le cordonnier...

LUCIENNE

Je n'y suis pas du tout... Mon Dieu! est-ce que le cordonnier...

DUXIN

Oui, oui... C'est Augustine...

LUCIENNE

Augustine!... Ah! quelle affaire... toute la ville au courant... La bonne des Moreau! Ah! il ne manquait plus que ça...

DUXIN

Vous n'êtes pas responsables...

LUCIENNE

Et comme c'est ennuyeux. Cette fille-là faisait si bien l'affaire.

DUXIN

La malheureuse... Il paraît qu'elle n'ose pas rentrer chez vous.

LUCIENNE

Voulez-vous me rendre un service?

DUXIN

Bien entendu.

LUCIENNE

Tâchez de la voir, et dites-lui qu'elle vienne chercher sa malle le soir après dîner... qu'on ne la voie pas entrer chez nous.

DUXIN

Vous n'allez pas la renvoyer?

LUCIENNE

Elle n'avait qu'à faire attention! D'ailleurs, si elle n'avait pas crié, personne n'en aurait rien su.

DUXIN

Si ça lui faisait mal, tout de même... Je vous assure, elle n'a pas mérité...

LUCIENNE

Enfin, pour quoi prenez-vous ma maison? C'est insensé! Je veux pouvoir passer dans les rues la tête haute, sans entendre chuchoter que ma bonne s'est laissé déshonorer par le cordonnier de la rue des Tiercelines.

DUXIN

Oh! moi, ce que je vous en dis...

LUCIENNE

Et quand ce ne serait que pour Madeleine! Quel exemple à proposer à une enfant de seize ans... Allons, je m'en vais. Au revoir...

DUXIN

Demain après-midi.

LUCIENNE

Oui, mais surtout, soyez prudent.

Elle gagne la boucherie.

DUXIN, seul, après un silence.

Ah! je peux me flatter d'avoir de la chance... une vraie chance... parce qu'enfin, qu'est-ce que je suis,

moi? Duxin le boucher. Large d'épaules, c'est entendu,
et costaud de partout. Mais ce n'est pas d'être costaud
qui fait... Les femmes, elles aiment d'abord qu'on soit
délicat... (*Il regagne la boucherie.*) Le sentiment... il
n'y a que le sentiment...

Il rentre dans sa boutique.

ACTE II

L'allée bleue, bordée d'une pelouse et de buissons. Par-
dessus le buisson central apparaît le sommet du kiosque
à musique surmonté d'une lyre. A droite, buste en
bronze. Au milieu, un banc vert.

Scène première

Un monsieur en costume du dimanche se promène à petits pas en sifflotant. Arrive Moreau endimanché.

MOREAU

Ah! docteur! quelle surprise...

LE DOCTEUR

Bonjour, monsieur Moreau. Voilà bien huit jours...

MOREAU

Je crois bien. La dernière fois, c'était à l'enterrement de ce pauvre Barentin...

LE DOCTEUR

Ah! oui, Barentin!... Encore un bon client... Figurez-vous que je cherche ma femme...

MOREAU

Ah! par exemple, ce n'est pas banal. Moi aussi, je cherche ma femme.

LE DOCTEUR

Comment se porte-t-elle, Mme Moreau?

MOREAU

Un peu nerveuse, un peu inquiète... Hier soir, elle m'a paru... (*Baissant la voix.*) Je sais bien que cette aventure de la bonne l'a impressionnée...

LE DOCTEUR

Mme Moreau n'est pas responsable, le monde l'a bien compris.

MOREAU

D'ailleurs, nous l'avons renvoyée.

LE DOCTEUR

Vous voyez bien... Mme Moreau n'a plus à se tourmenter.

MOREAU

C'est que cette nervosité ne date pas d'hier... Depuis deux ou trois mois, je la trouve irritable, capricieuse... enfin, elle a changé.

LE DOCTEUR

Oh! les femmes!... il ne faut pas trop s'inquiéter de leurs sautes d'humeur. On ne sait jamais.. quelquefois le moment des époques...

MOREAU, froissé.

Oh! Docteur...

LE DOCTEUR

Bien entendu, je ne dis pas cela pour Mme Moreau. Dieu merci, il ne manque pas d'autres causes... Tantôt c'est l'estomac qui digère mal, ou le foie qui est engorgé, ou encore le rein... Ah! le rein! Et tant d'autres fonctions...

MOREAU

Vraiment? vous pensez...

LE DOCTEUR

Mon cher ami, vous n'imaginez pas toutes les maladies qui guettent un être bien portant.

MOREAU

Docteur, vous... vous m'effrayez.

LE DOCTEUR

Voyons, vous ne souffrez de nulle part?

MOREAU

Mon Dieu, je ne vois pas...

LE DOCTEUR

Quelquefois, on hésite à localiser la douleur, la maladie est encore à l'état de latence...

MOREAU

A l'état... en effet... Tenez, il me semble parfois sentir quelque chose à l'estomac... non, à la tête...

LE DOCTEUR

Hon, hon...

MOREAU

Ah!... vous pensez... Comprenez-vous, dans ma profession, je ne prends pas assez d'exercice, il faudrait...

LE DOCTEUR, éclatant.

L'intestin! je vous voyais venir!

MOREAU, froissé.

Oh! Docteur.

LE DOCTEUR

Je veux dire l'estomac. Oui, contraction de l'estomac
avec les symptômes habituels. C'est un cas que je ren-
contre tous les jours. J'irai vous voir mercredi matin.

Alfred, endimanché, vient s'asseoir sur le banc.

MOREAU

C'est entendu. Je compte sur vous.

La musique, lointaine, attaque *la Fille du régiment*.

LE DOCTEUR

Soyez tranquille, mon ami... Ecoutez... Pom, pom,
pom, pom... Ecoutez ça, hein? C'est enlevé... pom,
pom...

MOREAU, maussade.

Oui, oui...

LE DOCTEUR

A propos, vous savez qu'ils essaient de faire démis-
sionner notre chef d'orchestre?

MOREAU

Quoi? Vous êtes sûr? Ils renverraient Corbin?

LE DOCTEUR

Comme je vous le dis. Naturellement... Corbin va à
la messe, il n'en faut pas plus!

MOREAU

Renvoyer Corbin! un homme qui s'est consacré, un homme...

LE DOCTEUR

Ah! c'est un joli tripatouillage dans leur munici-palité radicale!

MOREAU

Passez-moi l'expression, docteur, mais c'est à vomir.

LE DOCTEUR

Marchons un peu, voulez-vous? Il n'est pas bon pour votre estomac de prolonger ainsi les stations...

Ils s'éloignent par la droite.

MOREAU

Mon Dieu, ces contractions de l'estomac, ce n'est tout de même pas inquiétant, dites?

Ils sortent.

SCÈNE II

ALFRED

Il siffle la Fille du régiment.
Entre Madeleine. Il se lève.

MADELEINE

Ah! j'ai eu du mal... mais maman est avec une dame qui n'est pas près de la lâcher...

ALFRED

Tant mieux, j'avais peur...

MADELEINE

Mon père ne vous a rien dit? Je l'ai aperçu au milieu de l'allée et il m'a fallu encore attendre son départ. Alfred...

ALFRED

Est-ce que vous voulez vous asseoir?

MADELEINE

Je ne sais pas... si quelqu'un nous voyait tous les deux assis sur le banc...

ALFRED

Dans l'allée, il ne passe jamais personne.

MADELEINE

Possible... en tout cas, mon père s'y promène en liberté. (*Elle s'assied.*) Voyons, où en étions-nous, hier soir?

ALFRED

J'allais vous demander si je pouvais vous embrasser.

MADELEINE

Asseyez-vous, Alfred, ce sera plus facile pour parler. Vous alliez me demander... bien sûr, Alfred, bien sûr...

Alfred baise sa joue. Silence.

ALFRED

Il paraît qu'on va remplacer le chef d'orchestre.

MADELEINE

Ah! oui?

ALFRED

Je l'ai entendu dire, je ne sais pas...

MADELEINE

Vous savez, je m'en bats l'œil.

ALFRED

Oh! moi aussi... (*Silence.*) Vous n'avez pas froid?

MADELEINE

Il fait une chaleur d'été.

ALFRED

En effet, il ne fait pas froid.

Silence.

MADELEINE

Alfred, vous savez que la semaine prochaine, je vais me confesser.

ALFRED

Non, je ne savais pas.

MADELEINE

Ce qui m'ennuie, c'est que je ne sais pas trop ce que je vais dire au curé.

ALFRED

Dites-lui tout, Madeleine.

MADELEINE, avec un peu de mépris.

Quoi, tout?

ALFRED

Dites-lui que nous nous aimons, dites-lui que nous voulons nous marier.

MADELEINE

Mais ce n'est pas un péché, de se marier.

ALFRED

C'est vrai, ce n'est pas un péché.

MADELEINE

Ah! ce n'est pas comme si vous m'aviez prise par la taille ou par le cou. Ce n'est pas comme si vous m'embrassiez sur la bouche...

> Longue étreinte. Duxin entre par la gauche. Pantalon clair, souliers jaunes, veston ouvert sur la chemise et chapeau mou. Il est encore beau.

SCÈNE III

DUXIN, souriant.

Voilà deux gamins qui sont heureux. Ils ne m'ont même pas entendu venir...

MADELEINE, bas.

Attention, voilà M. Duxin...

> Alfred lâche Madeleine.

DUXIN

Mais... oh! par exemple... (*Il croise les bras, Made-*

leine glisse à un bout du banc.) Voilà bien une autre
histoire...

ALFRED

Justement, je voulais te dire...

Il se lève.

DUXIN

Et moi qui ne me doutais de rien. (*A Alfred.*) Petit
malheureux, tu m'en fais de belles!

ALFRED

Si tu savais comment les choses sont arrivées...

DUXIN

Voyons, Alfred, est-ce que je t'empêche de courir
les filles, moi? dis, est-ce que je t'en empêche?

ALFRED

Mais non, il ne s'agit pas...

DUXIN

Il a pourtant fallu que tu conduises la fille de
M. Moreau dans une allée détournée. Une jeune fille
bien élevée, qui a tout pour elle...

ALFRED

Ecoute, laisse-moi t'expliquer.

DUXIN

Tais-toi, Alfred, tu m'as vexé. Je n'ai pas mérité
que mon garçon me fasse une chose pareille. (*Il tire sa
montre. A part.*) Heureusement qu'elle n'est pas à
l'heure.

MADELEINE

Elle se lève.

Monsieur Duxin, ne vous fâchez pas... vous allez comprendre.

DUXIN

Oh! j'ai déjà compris.

ALFRED

Tu n'as rien compris du tout. Qu'est-ce que tu veux dire?

DUXIN

Quoi?... Attends un peu, je vais t'apprendre à me parler sur un autre ton.

MADELEINE

Laissez-moi vous expliquer... Monsieur Duxin, je suppose que vous veniez à mourir.

DUXIN

Je vous remercie, mais je n'ai mal nulle part.

MADELEINE

Enfin, c'est une chose qui peut arriver. Que deviendrait votre fils?

DUXIN

Eh bien, il prendrait toute la place à la boucherie, puisqu'il n'a pas voulu se faire une position dans les écritures. Il ne serait pas à plaindre.

MADELEINE

Il périrait d'ennui dans sa boutique. Et puis, quel travail pour ce pauvre garçon qui serait tout seul.

DUXIN

Pourquoi donc? Alfred fera comme tout le monde, il se mariera.

MADELEINE

Bon, il se mariera. Mais qui donc s'occupe de lui chercher une femme? pas vous, bien sûr.

DUXIN

Ecoutez donc, Alfred est assez grand pour trouver ce qu'il lui faut.

MADELEINE

Alors, monsieur Duxin...

DUXIN

Alors?

MADELEINE

Puisque Alfred a décidé de m'épouser, je ne vois pas pourquoi vous montez sur vos grands chevaux.

DUXIN

Comment... il a décidé? mais, nom d'un chien!...

MADELEINE

Ah! oui, vous trouvez qu'il aurait pu mieux choisir?

DUXIN

Oh! de ce côté-là, je n'ai rien à dire...

MADELEINE

Je ne vous plais pas?

DUXIN

Oh! mais si! au contraire...

MADELEINE

Vous ne me croyez pas capable de tenir ma place à la boucherie?

ALFRED

Madeleine m'a dit qu'elle aimerait...

DUXIN

Laisse donc parler le monde, garnement.

MADELEINE

Vous savez, je suis économe. Pas dépensière pour un sou. Il y a des femmes qui pensent d'abord à la toilette, mais pour moi, le tablier blanc, les galoches...

DUXIN

Je ne vous dis pas...

MADELEINE

Oh! bien sûr que je ne me laisserai pas sans une robe, sans un chapeau...

DUXIN

Laissez donc... dans la boucherie, on a toujours de quoi...

ALFRED

Naturellement...

DUXIN

Quand j'achète un veau trois francs dix sous, je gagne encore ma vie. Et je vous parle des veaux, c'est pour dire.

MADELEINE

Et puis, j'espère bien que mon père me fera une dot.

DUXIN

Ah! votre père, ma pauvre petite... mais il ne voudra rien entendre! Il est têtu comme une bourrique...

ALFRED

Tu ne pourrais pas parler autrement quand tu parles de M. Moreau.

DUXIN

Je dis comme une bourrique, n'est-ce pas, c'est manière de causer. Ça ne m'empêche pas d'avoir de l'estime pour M. Moreau. Mais vous verrez ce que je vous dis : M. Moreau ne voudra pas de ce mariage.

MADELEINE

C'est à vous d'arranger les choses. Alfred me vantait tout à l'heure votre adresse, votre énergie, votre esprit d'à-propos...

ALFRED

Moi? Je n'ai rien dit...

MADELEINE

C'est qu'il est si fier de son père!

DUXIN

C'est un bon garçon, Alfred. Il vous rendra heureuse.

MADELEINE

J'y compte bien. Encore faut-il que je l'épouse...

Mais je vous répète que c'est votre affaire. Voyez mes parents, remuez-vous, parlez, plaidez... Je suis sûre que vous avez déjà votre plan...

DUXIN, avec un sourire flatté.

En tout cas, vous pouvez compter que je m'en occuperai... (*Il tire sa montre.*) Mais il ne faut pas qu'on puisse vous voir ensemble aujourd'hui. Allons, séparez-vous.

Madeleine embrasse Alfred.

DUXIN

Eh bien, eh bien...

MADELEINE

Au revoir, monsieur Duxin, mais n'oubliez pas notre affaire...

DUXIN

Soyez tranquille. Allez... chacun de son côté...

Madeleine sort par la gauche. Alfred par la droite.

DUXIN, seul.
Il s'assied sur le banc.

Gracieuse, cette petite Madeleine, jolie, vive, et pas sa langue dans sa poche, non... sacré Alfred... ah! il était amoureux!...

Scène IV

Lucienne entre par la droite, accompagnée d'une vieille femme.

LA VIEILLE

Je prends votre bras, madame Moreau. Ces allées-là sont difficiles. Qu'est-ce que je vous disais?

LUCIENNE, hargneuse.

Je ne sais pas. Ça entre par une oreille...

LA VIEILLE

Je vous parlais de mon deuxième époux. Croiriez-vous que l'avant-veille de sa mort, il me faisait encore des amitiés? Vous me comprenez, madame Moreau...

LUCIENNE fait un signe à Duxin.

Dix minutes...

LA VIEILLE

Les médecins l'avaient déjà condamné, eh bien, quand même! Oh! je vous parle d'il y a trente-cinq ans...

LUCIENNE

Vous n'avez pas besoin de me le dire.

LA VIEILLE

Il y avait bien du monde à l'enterrement. Mes cou-

sins de Clermont... (*Elle s'arrête. A voix basse.*) Là, sur
le banc, votre voisin qui tient la boucherie.

LUCIENNE

Oui, oui, j'ai vu.

LA VIEILLE

Un homme à femmes, ce Duxin. Un homme à
femmes.

LUCIENNE

Les femmes ont bien raison.

LA VIEILLE

Moi, je ne trouve pas qu'il soit si bel homme.

LUCIENNE

Ça lui est égal.

LA VIEILLE

Si vous aviez connu mon premier époux... Il mesu-
rait un mètre quatre-vingt-cinq. Mais ce qui compte,
ce n'est pas tant d'avoir un bel homme. Voyez donc
mon deuxième : vous l'auriez porté à bras tendu, et il
était peut-être encore plus actif que mon premier.
Vous me direz que ce Duxin est un homme à femmes...

LUCIENNE

Un homme à femmes? Tant mieux pour celle qui
saura le tenir en haleine, ce sera une femme heureuse
qui aura le plaisir du corps et la tranquillité du corps.

LA VIEILLE

Mon premier...

LUCIENNE

Un mètre quatre-vingt-cinq, vous me l'avez déjà dit.

LA VIEILLE

Ah! oui, je vous l'ai dit? (*Baissant la voix*.) Madame Moreau, ce Duxin...

LUCIENNE

Eh bien, quoi, ce Duxin?

LA VIEILLE

Je parierais qu'il attend une femme, sur ce banc.

LUCIENNE

Bien sûr qu'il attend une femme!

LA VIEILLE

Oui, hein! encore une de ces folles comme on en voit à présent, des femmes...

LUCIENNE, avec violence.

C'est ça! une folle! une toquée! une enragée de son corps et de sa peau qui viendra se coller à lui tout à l'heure!

LA VIEILLE

Vous croyez? vous croyez?... Si nous restions là encore un moment... elle va peut-être arriver? hein... dites...

LUCIENNE

Ah! non! n'en parlons plus... Tenez, parlez-moi plutôt de vos maris...

LA VIEILLE

J'ai eu bien des malheurs... Mon troisième, c'était le contraire des deux premiers. Et voyez ce que c'est, madame Moreau, il n'est pas devenu plus vieux pour autant...

LUCIENNE, rageuse.
Elle entraîne la vieille à grands pas.

Allons-nous-en près du kiosque.

LA VIEILLE

Mon quatrième, lui...

Elles sortent par la gauche.

SCÈNE V

Duxin seul. Un flâneur entre dans l'allée.

LE FLÂNEUR, à Duxin.

Vous ne savez pas si la Philharmonie passera par ici?

DUXIN

La Philharmonie?

LE FLÂNEUR

Vous n'avez pas entendu dire que la Philharmonie...

DUXIN

Fichez-moi la paix avec vos histoires de Philhar-

monie! Je ne suis pas là pour surveiller la Philharmonie.

LE FLÂNEUR

Bien, bien, ne vous fâchez pas... Je vous demandais
ça comme ça.

Il s'éloigne de quelques pas.

DUXIN

On n'est jamais tranquille une minute... tiens...

Par la droite entrent le docteur et Moreau.

MOREAU, sa montre à la main.

Eh bien, pour créer le monde, il a fallu aussi un
horloger. Je ne sors pas de là.

LE DOCTEUR

Mais nous sommes d'accord, mon cher ami.

MOREAU

Ah! si je connaissais un homme qui eût l'audace
d'aller dire cette chose-là en plein conseil municipal!

Entre une femme, puis un homme en casquette.

LE DOCTEUR

Pour en revenir à Corbin, je me demande s'ils
auront le toupet...

MOREAU

Ce jour-là, il y aura plus d'un honnête homme qui
perdra patience. (*Bas.*) Regardez donc... là, sur ce
banc... Le boucher dont je vous parlais tout à l'heure.
Je suis sûr qu'il attend une femme.

LE FLÂNEUR, à la femme.

Pardon, madame, savez-vous si la Philharmonie...

LA FEMME

Oui, oui, ils doivent passer par ici pour se rendre à la gare.

LE FLÂNEUR

A la gare? Est-ce que la Philharmonie municipale se déplacerait?

LA FEMME

Vous ne savez donc pas que le ministre de l'Agriculture passe en gare à quatre heures?

L'HOMME EN CASQUETTE

Encore un qui ferait mieux de rester chez lui...

LA FEMME, fièrement.

Monsieur, sachez qu'un ministre de l'Agriculture est partout chez lui!

L'HOMME EN CASQUETTE

Des dégueulasses qu'on engraisse avec nos sous...

LA FEMME

Monsieur...

LE FLÂNEUR, à la femme.

Laissez donc... si vous lui répondez... Ainsi, la Philharmonie va lui jouer un air?... Prenez donc mon bras...

MOREAU

Vous entendez? Il paraît que le ministre de l'Agriculture...

LE FLÂNEUR

Les voilà, ils arrivent par le monument!

LE DOCTEUR

Remarquez que personne n'était prévenu...

MOREAU

Encore une manœuvre de la municipalité...

LA FEMME

Silence! Rangez-vous!

> Tout le monde se range au bord de l'allée.

SCÈNE VI

> Les quatre musiciens entrent en colonne par deux, au pas
> cadencé, sous la conduite de Corbin. Rumeur d'admi-
> ration.

MOREAU

Ah! docteur, quel spectacle réconfortant! On se sent
en sécurité.

LE DOCTEUR

Oui, c'est toujours une belle chose; ça ne vieillit pas.

LA FEMME

Leurs instruments sont bien tenus. Voyez donc le
trombone.

LE FLÂNEUR

Ils ralentissent, ils vont s'arrêter.

CORBIN

Halte!

La colonne s'arrête et marque le pas.

MOREAU

Vous avez entendu ce « halte! ». On reconnaît un homme en possession de tous ses moyens.

CORBIN

Mes chers camarades...

LA GROSSE CAISSE

Qu'il dit...

CORBIN

Mes chers camarades. Avant de nous rendre à la gare où nous allons saluer, au nom de nos longues traditions de courtoisie, notre cher et dévoué ministre de l'Agriculture, je me hâte de vous faire les recommandations indispensables. Je tiens d'abord à m'assurer que vous avez tous votre partition de *Sambre-et-Meuse,* dont les mâles accents...

RUMEUR DANS LES RANGS

Non, non! Pas de *Sambre-et-Meuse* aujourd'hui! Pas de *Sambre-et-Meuse*...

CORBIN

Dont les mâles accents porteront l'hommage...

RUMEUR DANS LES RANGS

On ne marche pas pour *Sambre-et-Meuse!* Pas de *Sambre-et-Meuse*...

MOREAU

Honteux!... Rébellion ouverte...

L'HOMME EN CASQUETTE

Ne vous laissez pas faire, les amis!

LE DOCTEUR

Ce sont les deniers de la ville...

CORBIN

Permettez-moi, mes chers camarades, vous qui êtes aujourd'hui, à l'honneur...

L'HOMME EN CASQUETTE

A bas l'honneur! A bas *Sambre-et-Meuse!*

LA FEMME

C'est une infamie, je rougis d'assister...

LE FLÂNEUR, prenant la femme par la taille.

Restez donc tranquille...

Il lui parle à l'oreille.

LA GROSSE CAISSE

On réclame autre chose. (*Il frappe un coup sur sa caisse.*) On a déjà joué *la Fille du régiment* tout à l'heure. Je dis que la Philharmonie municipale n'est pas faite pour l'amusement des cléricaux et des militaires.

Coup de caisse.

CLAMEUR DANS LES RANGS

Pas de musique d'église!

MOREAU

Les fondements de la Société... (*A Duxin.*) Ce sont les gens comme vous...

CLAMEUR DANS LES RANGS

Non! Pas de musique d'église! On réclame *les Noces de Jeannette, les Noces de Jeannette!*

DUXIN

Ecoutez donc, monsieur Moreau, ce n'est pas à moi...

MOREAU

Ce sont les gens comme vous...

L'HOMME EN CASQUETTE

Les gens comme nous? Vous vous croyez le maître?

CORBIN

Mes chers camarades, je suis prêt à prendre mes responsabilités, mais j'ai le devoir...

CLAMEUR DANS LES RANGS

Les Noces de Jeannette! Les Noces de Jeannette!

MOREAU, à Duxin.

Oui, ce sont les gens de votre espèce...

DUXIN

Laissez-moi vous dire...

CLAMEUR DANS LES RANGS

Les Noces de Jeannette! (Sur l'air des lampions.) Les Noces de Jeannette! Les Noces de Jeannette!

MOREAU

Vous avez l'opinion pour vous, chef. Soyez ferme! Nous sommes là.

LE FLÂNEUR, à la femme.

Votre parfum si troublant...

LE DOCTEUR

Nous dénoncerons ces manœuvres...

LA GROSSE CAISSE

Ma caisse ne jouera pas pour *Sambre-et-Meuse*. Il ne sera pas dit que j'aurai déshonoré un instrument républicain!

LE DOCTEUR

Ces manœuvres infâmes qui nous ont valu, l'année dernière, de voir le 17ᵉ dragons abandonner la ville!

L'HOMME EN CASQUETTE

A bas le 17ᵉ dragons! A bas *Sambre-et-Meuse*!

CORBIN

Depuis que les pouvoirs municipaux m'ont appelé à la tête de cette noble phalange...

CLAMEUR DANS LES RANGS

Les Noces de Jeannette! Les Noces de Jeannette!

MOREAU

Ce sera la honte éternelle...

L'HOMME EN CASQUETTE

Ta gueule!

LA FEMME

Ne me tentez pas, ce serait si mal...

CORBIN

Mes chers camarades et amis, depuis que les pouvoirs municipaux...

LA GROSSE CAISSE

Démission! (*Coup de caisse.*) Démission! (*Coup de caisse*). Démission!

CLAMEUR DANS LES RANGS

Démission! Démission! Démission!

Corbin court à la grosse caisse, lui ôte sa casquette, dont il arrache le ruban, et ôte la lyre dorée épinglée sur la poitrine.

CORBIN, d'une voix tonnante.

Vous jouerez sans insigne et sans ruban!

Silence. Les têtes se courbent dans les rangs. La grosse caisse écrase une larme.

MOREAU

Bravo, chef! Magnifique!

LE DOCTEUR

Quand je pense que la municipalité...

MOREAU

Vous avez vu cette poigne!

LA FEMME, se laissant tomber dans les bras du flâneur.

Je suis trop émue... je me sens...

CORBIN

Et maintenant, à la gare!

LES MUSICIENS

A la gare!

Spontanément, le piston joue *Sambre-et-Meuse*.

La colonne se remet en marche, suivie par la femme et le
flâneur.

SCÈNE VII

MOREAU

Ah! docteur, quelle minute nous avons vécue!

LE DOCTEUR

C'était simple, mais poignant.

MOREAU

Dites donc, entre nous, je crois que si nous n'avions
pas été là...

LE DOCTEUR

C'est bien simple, Corbin était débordé.

MOREAU

Nous pouvons nous flatter d'avoir écrasé la révolte
dans l'œuf, et si Corbin...

L'HOMME EN CASQUETTE

Il s'approche de Moreau.

La révolte dans l'œuf? Où c'est que t'as vu jouer ça?

MOREAU, affectant de ne pas voir l'homme.
Il parle au docteur.

C'est un résultat dont nous avons le droit d'être fiers.

L'HOMME EN CASQUETTE

Je voudrais bien savoir pourquoi vous vous mêlez de donner des conseils à des musiciens?

MOREAU

Je ne rends compte à personne de mes opinions.

L'HOMME EN CASQUETTE

On ne vous les demande pas non plus. Elles doivent être jolies, vos opinions...

MOREAU

Je dédaigne de répondre à un monsieur...

L'HOMME EN CASQUETTE
Il saisit Moreau par le col de son veston.

Vous dédaignez? (*Le docteur s'enfuit par la droite.*) Ah! vous dédaignez? Et moi, je vous dis d'être poli...

MOREAU

Monsieur, c'est une atteinte...

L'HOMME EN CASQUETTE

Ou bien vous allez voir qui c'est qui va vous jouer *Sambre-et-Meuse* sur les côtelettes!

MOREAU

C'est une atteinte inqualifiable à la liberté...

L'HOMME EN CASQUETTE, secouant Moreau.

Ne causez donc pas de la liberté... La liberté, c'est nous autres!

MOREAU

Monsieur...

DUXIN

Il saisit le bras de l'homme en casquette.

Allons, ne faites pas le méchant. Il n'y a point de bon sens à vouloir batailler pour un air de musique.

L'HOMME EN CASQUETTE, montrant Moreau.

Il n'avait pas besoin de venir faire le malin ici.

DUXIN

C'est bon, allez-vous-en tranquillement, et qu'on n'en parle plus.

L'HOMME EN CASQUETTE

Il s'en va en grommelant.

Il y en a toujours qui viennent se mêler de ce qui ne les regarde pas...

SCÈNE VIII

MOREAU

Monsieur Duxin, je vous tends la main comme à un loyal adversaire. Je vous tends la main...

DUXIN, lui serrant la main.

Merci, monsieur Moreau... Pour les réparations, vous n'avez qu'à dire. Si vous préférez que les ouvriers...

MOREAU

Je vous en prie, monsieur Duxin, faites comme vous avez décidé. Après tout, je m'arrangerai bien pour ouvrir le magasin.

DUXIN

Je vous le disais.

MOREAU

Monsieur Duxin, vous venez de me rendre un grand service... Vous m'avez...

DUXIN

Rien du tout... pensez donc... rien du tout...

MOREAU

Vous m'avez tiré d'un très mauvais pas.

DUXIN

Voyez-vous, dans ces affaires-là, il vaut toujours mieux ne pas s'emballer.

MOREAU

Vous avez raison, mais je ne sais pas me contenir. Je me monte la tête, je m'exalte... je vis toujours dans une atmosphère de... enfin... une atmosphère.

DUXIN

On vit comme on peut. Chacun a ses petites idées.

MOREAU

Tenez, pour en revenir à nos querelles passées...

DUXIN

Laissez donc. Tout ça est sans importance.

MOREAU

Il m'est arrivé d'être un peu... excessif.

DUXIN

Du moment que vous le dites...

MOREAU

Excessif... et, parfois, injuste.

DUXIN

A ce compte-là, n'est-ce pas...

MOREAU

Ne dites pas non, monsieur Duxin. J'ai été injuste.
Et pourtant, monsieur Duxin, je ne suis pas un
méchant homme.

DUXIN

Je sais bien.

MOREAU

Vous avez pu vous demander pourquoi... Tenez,
monsieur Duxin, toutes ces émotions m'ont bouleversé, j'ai besoin de vous parler comme à un ami...
aussi bien, je vous dois une explication de ma
conduite...

DUXIN, inquiet.

C'est que...

MOREAU

D'abord, il me faut vous dire que ma vie n'est pas exempte de soucis... Mme Moreau est beaucoup plus jeune que moi... Oh! quand je parle de soucis, n'allez pas imaginer... A m'entendre, vous pourriez croire...

DUXIN, gêné.

Mais non...

MOREAU

Au contraire, Lucienne est une femme... je dirai presque trop sévère, trop rigide... son intransigeance nous rend parfois la vie difficile...

DUXIN

Tout le monde a sa part de désagréments.

MOREAU

La différence d'âge est importante... presque vingt-huit ans.

DUXIN

Mme Moreau est une personne si raisonnable...

MOREAU

Justement. Je me demande si Lucienne n'est pas trop raisonnable. Le fait est qu'en toutes choses, elle fait preuve d'un sérieux qui est plutôt de mon âge que du sien. Je me reproche quelquefois d'avoir déteint sur elle un peu plus qu'il n'aurait fallu.

DUXIN

On se figure souvent des choses... Moi, je suis sûr que Mme Moreau se trouve heureuse comme ça.

MOREAU

Vous ne me comprenez pas. Que ma femme soit
heureuse, c'est certain. Mais, ce qui m'inquiète, c'est
justement cette façon d'être, presque trop sérieuse
pour son âge et qui tourne facilement à la sévérité...
je dirai même à l'aigreur.

DUXIN

Il n'y a pas de quoi se tourmenter.

MOREAU

Souvent, elle a une façon de me parler... et même
de me regarder...

DUXIN

Je vous dis, on se figure...

MOREAU

Elle est d'une nervosité, d'une impatience... surtout
depuis quelque temps. Elle ne me passe rien... C'est
bien simple, je suis obligé d'en passer par toutes ses
volontés et, même en lui obéissant, je ne suis pas sûr
de me faire bien voir.

DUXIN

Quand on commence à se mettre martel en tête, on
n'en sort plus.

MOREAU

Notez que cette disposition d'humeur n'est pas
nouvelle, mais je n'ai commencé à y prendre garde
qu'il y a quatre ans et c'est là où je voulais en venir,
justement. Oui, c'est l'année où vous vous êtes installé

à côté de chez moi que je m'en suis aperçu. L'austérité et l'intransigeance de son caractère, que je subissais déjà sans m'en rendre compte, m'ont frappé tout d'un coup, le jour où je l'ai vue manifester à votre égard une indulgence aimable, tellement inhabituelle...

DUXIN

Là, alors, monsieur Moreau, vous vous forgez des idées, je vous le dis.

MOREAU

Je n'avais pas à vous en vouloir. Lucienne vous témoignait ce genre de sympathie et d'indulgence que les femmes d'une certaine éducation éprouvent parfois pour les simples. Je le comprenais du reste très bien. Cependant je vous avais pris en grippe, comme j'aurais pu le faire d'un chat ou d'un perroquet auxquels aurait été réservé le privilège de mettre Lucienne de bonne humeur.

DUXIN

J'étais loin de me douter que c'était pour ça, je vous assure.

MOREAU, souriant.

Des raisons aussi subtiles devaient nécessairement vous échapper. Je confesse qu'elles ne sont pas à la portée de tout le monde. N'importe, je veux aujourd'hui oublier mes griefs et, dans la mesure du possible, combler les distances qui nous ont séparés si longtemps. J'espère, monsieur Duxin, trouver en vous un ami loyal et un voisin compréhensif.

DUXIN

Soyez tranquille, monsieur Moreau... (*Tirant sa montre.*) Diable, il est plus de quatre heures déjà...

MOREAU

Je vous demande pardon, monsieur Duxin, vous attendez peut-être quelqu'un...

DUXIN

En effet, c'est-à-dire...

MOREAU

Je vous laisse. (*Baissant la voix.*) Une aventure, eh?

DUXIN

Une aventure?

MOREAU

Oui, vous attendez une femme... Jolie femme? Oh! ce n'est pas moi qui vais vous blâmer. Je comprends qu'un veuvage aussi prolongé donne de l'impatience. (*Il s'éloigne.*) Allons, soyez heureux.

SCÈNE IX

Duxin se rassied sur le banc.

A la cantonade.
Une voix d'HOMME, irritée.

Vaurien! Salopard! Que je t'y reprenne! Ça ne te

suffit pas d'être avant-dernier en géographie? Tu veux finir ta vie au bagne! Mais attends un peu... (*Entre un homme de quarante ans, chapeau melon, poussant devant lui un garçon, à coups de pied au cul.*) Je vais te redresser l'éducation!... (*Duxin se lève. L'homme s'adresse à lui.*) Non mais, croyez-vous? Un gamin d'à peine quatorze ans, je l'ai trouvé avec une fille en train de lui toucher la poitrine! Vous imaginez ça?

DUXIN

Faut pas vous fâcher, monsieur Réveillaud. L'amour, vous savez ce que c'est. Ça ne se commande pas.

L'HOMME

Non, non, pas d'excuse! Si encore il savait sa géographie!... Allons, file! (*Nouveau coup de pied.*) Quand je pense à tous les sacrifices que j'ai déjà faits pour toi. (*Le père et le fils sortent. Voix à la cantonnade.*) Pour commencer, tu me copieras les départements!

Scène X

Entre Lucienne.

LUCIENNE

J'ai cru n'arriver jamais. Voilà près d'une heure que la vieille folle se cramponne à moi.

DUXIN

Heureusement que vous n'êtes pas arrivée plus tôt. Tout à l'heure, le vieux était dans l'allée...

LUCIENNE

Le vieux? Vous voulez parler de mon mari? Vous pourriez dire « M. Moreau ». C'est la moindre des choses.

DUXIN

Je vous demande pardon... Je ne sais pas comment j'ai pu dire une chose pareille...

LUCIENNE

Tu as des dents blanches, bien plantées, je l'avais déjà remarqué. Moi aussi, tu sais, j'ai des dents. (*Prenant les mains de Duxin.*) Comme tu es beau, même dans ton costume!

DUXIN

Je l'ai acheté l'année dernière.

LUCIENNE

Tu as bien fait de ne pas mettre de gilet, tu as le torse libre, on sent la moiteur de la peau. Tu ne peux pas savoir le plaisir que j'ai à te regarder, à te palper la santé. Viens t'asseoir sur le banc. S'il passe des gens, tu m'envelopperas dans ta veste, sur ta peau.

Il s'assied à côté d'elle.

DUXIN, timide.

Madame Moreau...

LUCIENNE

Non, ne me dis rien. Pas maintenant. Attends...

DUXIN

Je voulais vous demander si vous aviez réfléchi...

LUCIENNE

Tu me parles de réfléchir. Laisse-moi d'abord te regarder. Toi, tu ne me regardes pas assez. Regarde-moi, détaille-moi. Tiens, regarde-moi comme tu regardes une bête avant de l'abattre.

DUXIN

Non, Lucienne, vous n'êtes pas une femme qu'on ose regarder comme vous dites.

LUCIENNE

Tout à l'heure, la vieille me disait que tu étais un homme à femmes. Alors, c'est vrai? Tu es un homme à femmes?... Mais je te demanderai tout ça plus tard... Oh! plus tard, tu sais, c'est demain matin...

DUXIN

Demain matin...

LUCIENNE

A huit heures et demie, je serai seule chez moi. La porte sera entrouverte, tu entreras. Je t'attendrai, je n'aurai qu'un... Ah! comme je t'attendrai! Le cœur m'en bat, j'ai la gorge sèche... Toi, boucher, tu arrives avec ton tab... tablier. Tiens, je bégaie. Je te vois déjà dans la porte. Tu entres, tu ne dis rien. Moi non plus, je ne pourrai pas...

DUXIN

Dites donc, vous n'avez pas peur que, chez vous, M. Moreau nous tombe dessus?

LUCIENNE

Non, je n'ai pas peur. Tu as peur, toi?

DUXIN

Ce n'est pas ça, mais je ne voudrais pas lui faire de peine. Au fond, ce n'est pas le mauvais homme. Si je vous disais que M. Moreau m'est sympathique?

LUCIENNE

Vous n'êtes pas difficile.

DUXIN

Il faut que je vous dise. Maintenant, je n'ai plus de raison de lui en vouloir.

LUCIENNE

Bien sûr, vous lui prenez sa femme. Et vous n'avez pas non plus à être jaloux d'un vieux serin de son espèce. Pour vous, c'est un mari sur mesure, mais pour moi, c'est une autre affaire. L'amour ne me dispense pas de supporter sa présence et ses radotages. Et jusqu'à quand? Oui, jusqu'à quand? Ah! si vous saviez, il y a des jours, des moments où, à côté de lui, je me sens comme une bête dangereuse. Moi qui suis jeune, vivre avec ce vieux, entendre ses bavardages de vieux, sentir sur moi son haleine de vieux... Tiens, ne parlons plus de lui, pensons à demain matin, quand

tu entreras chez moi... Comment veux-tu me trouver?
Il me semble que je ne serai jamais assez nue pour
t'accueillir. Hein?

DUXIN

Je ne sais pas, moi.

LUCIENNE

Veux-tu... Tiens, veux-tu que je sois fardée, maquil-
lée, frisée?

DUXIN

Mais non, pour quoi faire?

LUCIENNE

Tu sais, comme les femmes de maison close.

DUXIN

Quoi?

LUCIENNE

J'aurai le tour des yeux noirs, comme si j'étais déjà
crevée d'amour. Sur les joues, deux rondelles de rouge.
Tu m'appelleras Carmen...

DUXIN

En voilà des idées!

LUCIENNE

Une paire de boucles d'oreilles, deux gros cabochons
verts, tu vois? Et un pendant de strass entre les seins.
Ou bien je les cerclerai d'or... Il y a de tout dans la
boutique du vieux...

DUXIN

Taisez-vous, je ne veux pas vous entendre dire ça.

LUCIENNE

Ta gueule! Ma jarretière sera tout en brillants de quatre sous, avec un gros chou rose. Et là, là, par là-dessus, une ceinture avec des franges d'argent que je ferai danser d'un coup de ventre. Tu montes, boucher? Tu montes?

Elle rit.

DUXIN

Ah! vous voilà bien avancée! Je vous demande un peu à quoi ça rime de débiter ces bêtises-là..., vous, madame Moreau, la femme de Moreau, de la bijouterie Moreau! Voyons!

LUCIENNE

C'est vrai, je suis stupide, je me mets dans un état...

DUXIN

Les femmes convenables sont toutes les mêmes. Aussitôt qu'elles s'énervent, les voilà parties à rêver de lanternes rouges et du diable sait quoi! Est-ce qu'il y a besoin de se mettre la cervelle à l'envers pour être heureux dans l'amour?

LUCIENNE

Bien sûr...

DUXIN

Est-ce que ça ne compte pas de savoir qu'on vous aime tout simplement?...

LUCIENNE

Oh! je sais bien que tu m'aimes. (*Avec un peu de mépris.*) Tu es une nature sensible.

DUXIN

C'est vrai. On ne le croirait pas, mais je suis sensible comme une fille.

LUCIENNE

Je m'en doutais.

DUXIN

Vous diriez que j'ai dix-huit ans, tout comme mon gamin d'Alfred.

LUCIENNE

Il est gentil, ce petit Alfred. Il te ressemble, il paraît doux.

DUXIN

Je peux dire qu'il m'a toujours donné satisfaction, sauf quand j'ai voulu lui faire continuer l'école. Pourtant, il apprenait bien, mais il avait déjà son idée. Les enfants, il vaut mieux ne pas les contrarier.

LUCIENNE

Quand ils ont une vocation...

DUXIN

Ce petit Alfred, voyez-vous, je suis un peu sa mère, et il le sait bien, il n'a pas peur de moi, allez. Quand la femme est morte, il était petit. C'est moi qui l'ai soigné. Il rentrait de classe, je lui aidais à faire ses problèmes. Ce n'était pas toujours facile. On ne se figure pas tout ce qu'on leur fait entrer dans la tête, à ces bambins-là. Des fois, j'en attrapais la migraine avec tous ces chiffres. Plus tard, c'est moi qui lui ai

appris le métier, et vous pouvez croire qu'il a su
profiter.

LUCIENNE

Attendre toujours le lendemain matin...

DUXIN

Un bon garçon, mon Alfred, et qui a du sentiment
aussi...

LUCIENNE

Allons, tant miéux.

DUXIN

Je crois qu'il s'entend bien avec Mlle Madeleine.
A cet âge-là, l'amitié va vite...

LUCIENNE

Il ne faudrait pas arriver plus tard que huit heures
et demie.

DUXIN

Ils ont à peine deux ans de différence. De ce côté-là,
c'est parfait.

LUCIENNE

Voyons, je n'ai pas entendu... Qu'est-ce qui serait
parfait?

DUXIN

Je pensais à nos enfants et je me demandais si un
mariage...

LUCIENNE, sèchement.

Vous savez bien que M. Moreau ne le voudrait pas.

DUXIN

M. Moreau, ce n'est pas sûr... Mais vous, Lucienne?

LUCIENNE

Ecoutez, parlons d'autre chose. Vous ne m'avez pas demandé un rendez-vous pour introduire une demande en mariage.

DUXIN

Mais s'ils s'aimaient..., si la petite aimait Alfred?

LUCIENNE

Madeleine est encore beaucoup trop jeune pour songer au mariage.

DUXIN

Ils attendraient tout le temps nécessaire...

LUCIENNE

Puisque vous insistez, je vous dirai que ce mariage-là est impossible. Vous devriez comprendre vous-même que Madeleine est une jeune fille... une jeune fille. Elle connaît du monde, elle est instruite, elle peint, elle joue du piano...

DUXIN

Ce n'est pas ce qui peut empêcher...

LUCIENNE

Enfin, Madeleine a son brevet. La voyez-vous assise au comptoir d'une boucherie?

DUXIN

Je ne savais pas qu'elle avait son brevet.

LUCIENNE

Au moins, j'espère qu'Alfred n'a rien dit à ma fille qui puisse la troubler? C'est une enfant si sensible...

DUXIN

Oh! non. Je disais ça au hasard...

LUCIENNE

Vous n'avez pas surpris de conversations, vous n'avez pas reçu de confidences qui puissent...

DUXIN

Mais non, c'est une idée qui m'était venue...

LUCIENNE

Alors, n'y pensons plus...

DUXIN

Plus tard...

LUCIENNE

Surtout, n'arrive pas après huit heures et demie. Pense que chaque minute d'attente me sèchera les veines.

DUXIN

Je vous promets que vous n'attendrez pas, Lucienne. Mais pour cette affaire...

LUCIENNE

Ne fais pas de toilette comme aujourd'hui. Viens en boucher, tes galoches à la main. Quand tu as un complet, je t'aime déjà moins.

DUXIN

Pourquoi? Il n'y a pas de raison.

LUCIENNE

Mais non, je plaisante. Tu es toujours beau, tu es
toujours aussi fort...

DUXIN

Ce n'est pas la question.

LUCIENNE

Mais je n'ai pas dit. (*Elle se lève doucement.*) J'en-
tends la voix de mon mari. Ramasse ton chapeau...
Mais non, ne le mets pas sur ta tête... A la main...
Parlez-moi du concert.

DUXIN

Le concert...

LUCIENNE

Oui, parlez-moi du concert.

DUXIN

Le concert... (*Entrent Moreau et Madeleine.*) Il
était bien réussi, ce concert...

Scène xi

MOREAU

Tiens, vous êtes ensemble...

LUCIENNE, à Moreau.

Te voilà enfin. Ce n'est pas malheureux après m'avoir abandonnée tout un après-midi. Couvrez-vous donc, monsieur Duxin.

MOREAU

J'ai passé mon temps à vous chercher, Madeleine et toi.

LUCIENNE

Ainsi tu n'étais même pas avec Madeleine?

MADELEINE

Je viens de retrouver papa, il y a dix minutes.

LUCIENNE

De mieux en mieux. Ai-je été assez ridicule, moi qui arrêtais tout le monde pour savoir si l'on avait vu mon mari. Encore une fois, monsieur Duxin, je vous demande pardon.

DUXIN

Il n'y a pas de quoi, madame Moreau.

MOREAU

Voyons, Lucienne, je ne me suis pourtant pas caché.
Je suis passé plusieurs fois dans cette allée. M. Duxin
m'a vu.

LUCIENNE

Naturellement, M. Duxin ne dira pas le contraire.

MOREAU

Il faut bien que M. Duxin m'ait vu, puisque nous
nous sommes réconciliés.

LUCIENNE

Comment? (*A Duxin.*) Mais vous ne m'aviez pas
dit...

MADELEINE

Réconciliés? Ah! tant mieux!...

MOREAU

Vous pouvez remercier M. Duxin. Sans lui, je serais
peut-être à l'hôpital. Figurez-vous que j'ai été attaqué
par un sale individu, une graine d'anarchiste qui traî-
nait des revolvers dans sa poche. Heureusement,
M. Duxin est intervenu avec un à-propos, une vigueur...

LUCIENNE

Oh! oui... M. Duxin est fort.

MOREAU

S'il est fort! Je crois bien! (*Il frappe sur l'épaule de
Duxin*) C'est qu'il est bâti en athlète, tout en muscles,
avec des biceps comme mes cuisses!

LUCIENNE

Tais-toi, Moreau, tu es ridicule.

MOREAU

Je dis comme mes cuisses... Tu ne vas pas me contre-
dire?

LUCIENNE

Oh! non!... (*A Duxin.*) Ce devait être un beau
spectacle que mon mari aux prises avec un anarchiste. Il fallait le laisser...

DUXIN

Je suis sûr que M. Moreau se serait très bien tiré
d'affaire tout seul.

MOREAU

Mais naturellement!

LUCIENNE

Ne fais donc pas le malin, Moreau. Tu ne devais
pas être si fier tout à l'heure. Je te vois d'ici, jaune
comme un citron, et tremblant de tous tes membres,
comme ce jour où le libraire...

MOREAU

Voyons, Lucienne, M. Duxin n'a pas à connaître...

LUCIENNE

Tu te rappelles comme il t'a giflé? Quelle pauvre
figure tu avais... mais tu n'as pas changé...

MOREAU

Ce libraire n'était qu'un voyou. Quand on sait dans
quelles conditions il a fait faillite...

LUCIENNE

Je ne parle pas de faillite. Je dis que tu n'as pas changé, je dis...

DUXIN

Madame Moreau, je vous demande la permission...

LUCIENNE

Laissez-moi parler, vous! Il faut que je lui dise aujourd'hui ce que j'ai pris tant de peine...

DUXIN

Madame Moreau, je voudrais seulement vous dire qu'il est tard.

MADELEINE

Maman...

LUCIENNE

Toi, Madeleine, je te conseille de garder le ton qui convient à une gamine de ton âge.

MADELEINE

Mais je n'ai rien dit...

LUCIENNE

Tu sais très bien de quoi je veux parler. Depuis quelque temps, je trouve que tu prends des allures qui ne me vont pas. Tes allées et venues et tes airs de liberté sont tout à fait déplacés.

MADELEINE

Je t'assure, maman, je n'ai rien changé...

LUCIENNE

Cet après-midi, pour ne parler que d'aujourd'hui,

tu as trouvé le moyen d'échapper à ma surveillance et
à celle de ton père. Je n'aime pas que tu te promènes
seule au milieu de la foule. Ce n'est pas la place d'une
jeune fille.

MADELEINE

Mais puisque je vous avais perdus...

LUCIENNE

Tu n'avais qu'à rentrer à la maison. Je ne veux pas
que ma fille passe pour une évaporée et une exaltée
auprès des gens qui nous connaissent.

DUXIN, à Moreau.

Allons, je vais vous laisser.

MOREAU

Mais non, restez donc, monsieur Duxin, cela fait
plaisir à ma femme. (*Bas.*) Vous voyez ce que je vous
disais tout à l'heure... (*Haut.*) Tenez, voilà nos musiciens... Mais qu'est-ce qui se passe?... Ah! ça! L'hydre
de la révolte se serait-elle rallumée?

On entend les musiciens jouer *les Noces de Jeannette*.

MOREAU, consterné.

Ecoutez... Ils jouent *les Noces de Jeannette!*

Les musiciens débraillés, hilares, font leur entrée en gambadant.

MOREAU

Derrière son dos, Lucienne serre la main de Duxin.

Mon Dieu! Où allons-nous? C'est épouvantable!

ACTE III

La salle à manger des Moreau. Fenêtre au fond, le buffet
d'un côté, la desserte de l'autre. Au milieu, la table.
Aux murs, *les Dernières Cartouches* et le diplôme de
Moreau. Portes à gauche et à droite.

Scène première

Moreau, seul, sucre son petit déjeuner sur un coin de la table.

MOREAU

Je n'ai pourtant guère faim... Je mange par habitude... Je me raisonne... Le docteur... (*On frappe.*) Entrez!

JULIE entre par la gauche avec un panier.

J'apporte les œufs et les choux de Bruxelles pour Mme Moreau.

MOREAU

Mettez-les à la cuisine... ou dans le couloir, je m'en fiche. Ou plutôt, non... apportez-les-moi ici. (*Julie lui apporte le panier.*) Vous êtes la nouvelle employée de Mme Rougier? Comment vous appelle-t-on?

JULIE

Julie, monsieur.

MOREAU

Julie, c'est un joli nom, Julie.

JULIE

Oui, monsieur.

MOREAU

On est toute jeunette, eh? Belles joues fraîches,
belle petite fille. Asseyez-vous donc, Julie... Tenez, là,
en face de moi. (*Julie s'assied.*) Alors, alors... Hé! hé!...
(*Silence.*) On s'ennuie un peu du pays, hein?

JULIE

Je ne sais pas, monsieur.

MOREAU

Quand on arrive et qu'on ne connaît personne... Il
vous faudrait une amitié...

JULIE

Oui, monsieur.

MOREAU

Il apporte une chaise.

Justement, moi, j'aimerais m'intéresser à une petite
jeune fille... A votre âge, ma migonne, on désire tant
de choses... Je parie que vous aimez les bijoux!

*Lucienne entre par la droite, sans bruit. Elle est vêtue
d'un peignoir.*

MOREAU, *prenant la main de Julie.*

De jolis bijoux sur ces mains-là ne feraient pas
mal, eh?

JULIE

Oui, monsieur.

MOREAU

Un collier par ici... et qui descendrait par-là... hein,
par-là...

JULIE, souriant.

Ça me chatouille, monsieur.

LUCIENNE

Vous direz à Mme Rougier que je passerai la payer
dans l'après-midi.

JULIE

Oui, madame. (*Elle gagne la porte.*) Au revoir,
messieurs-dames.

SCÈNE II

MOREAU

C'est ta faute. Voilà où tu réduis un homme de
ma situation, un père de famille irréprochable, un
commerçant qui a trente ans de réputation, un mari...

LUCIENNE

Ne t'agite pas.

MOREAU

Demain, toute la ville saura que j'ai offert des
bijoux à une petite bonne de dix-huit ans

LUCIENNE

Mais non, pourquoi veux-tu qu'elle aille le répéter?

MOREAU

Je ne suis pourtant pas un coureur de filles, moi.

LUCIENNE

C'est une justice à te rendre.

MOREAU

Mais il y a des circonstances où la mauvaise volonté d'une épouse égare le plus honnête homme. Si j'ai eu un instant de faiblesse, je ne suis pas responsable.

LUCIENNE

Je ne te fais pas de reproche.

MOREAU

Il soupire.

Je suis d'ailleurs tout prêt à réparer. (*Silence.*) Ce n'est vraiment pas la peine que tu achètes de si beaux peignoirs et du linge qui tient dans le creux de la main!

LUCIENNE

Mange donc, Moreau, il va être huit heures et demie.

MOREAU

Pour une dépense inutile... (*Il avale une cuillerée.*) Enfin, tu ne m'empêcheras pas de dire que les choses ne vont pas comme autrefois.

LUCIENNE

Attache ta serviette à ton cou... Tu vas encore salir ton gilet.

MOREAU
Il repousse son assiette.

Lucienne, tu ne m'aimes plus, il y a quelque chose de changé.

LUCIENNE

Il n'y a rien de changé. Bois ton café et descends au magasin. Je te dis qu'il est huit heures et demie. Tu ne vas pas t'éterniser ici.

MOREAU

Je te gêne?

LUCIENNE

Tu me gênes.

MOREAU

Oh! Lucienne, comment peux-tu dire?... Moi qui suis déjà malade...

LUCIENNE

Je ne refuse pas de te soigner. Pourvu que tu me fiches la paix.

MOREAU

Mais je ne suis pas malade au point de... Je veux dire que les contractions de l'estomac n'intéressent pas la région de... du...

LUCIENNE

Moreau, je te défends d'être grossier. Bois ton café.

MOREAU

Voilà que je suis grossier, maintenant!

LUCIENNE

Il n'y a pas d'autre mot.

MOREAU

Alors, un mari ne peut plus parler à sa femme de...

LUCIENNE

N'insiste pas.

MOREAU

Ah! non! C'est à se taper la tête... Je n'y comprends plus rien. Tout est bouleversé... Ah! je m'étais bien aperçu, déjà l'année dernière, que tu n'étais plus la même, j'avais pu observer bien des changements, mais enfin, tu ne te dérobais pas comme à présent à mes...

LUCIENNE

Ton café refroidit.

MOREAU

Depuis deux mois, il n'y a pas à dire...

LUCIENNE

Tu ne vas pas recommencer?

MOREAU

Tiens, Lucienne, sans parler de cette injure grave où tu t'entêtes sans raison, conviens toi-même que depuis deux mois tu me rends la vie impossible. Tu me parles à peine, tu me rabroues, tu ne descends presque plus au magasin, tu parles de mettre Madeleine en pension, tu... enfin, tu ne veux plus...

LUCIENNE

Décidément...

MOREAU

Oui, qu'est-ce que tu veux, j'en reviens toujours là...
Rappelle-toi, Lucienne, comme nous avons été heureux. Rappelle-toi, je ne dis pas les années passées,
mais cette année même. Ensemble, en tête-à-tête, nous
comptions la recette de la journée, nous parlions des
clients, des commandes...

LUCIENNE

Je ne me suis jamais désintéressée des affaires.

MOREAU

Nous étions d'accord, nous allions la main dans la
main, qu'il s'agît de placements, d'achats, de n'importe quoi. Encore au mois de février, quand j'ai
acheté de l'Electric 5 %, est-ce que tu ne m'as pas
approuvé?

LUCIENNE, émue.

Oui, nous avons acheté à 140... Il est à 175...

MOREAU

Tu vois bien... Aujourd'hui, tu ne veux plus porter
des peignoirs de pilou. Je ne te le reproche pas; après
tout, nous avons le moyen... Mais l'année dernière, tu
n'aurais pas acheté ces choses-là sans m'en parler. Je
te dis que nous allions la main dans la main. Je me
rappelle qu'une fois tu avais acheté une chemise de
dentelle sans m'avertir, je m'en souviens, c'était
l'année du grand ministère Poincaré. (*Tendre.*) En

cachette, tu l'avais achetée, mais c'était pour me faire une surprise...

LUCIENNE

Assez de souvenirs, Moreau, assez...

MOREAU

Tu m'appelais ton chéri dix fois par jour. Ton mignon, ton trésor, ton chéri...

LUCIENNE

Tais-toi, je n'ai pas pu dire ces choses-là.

MOREAU

Parfaitement, tu m'appelais ton chéri, et c'était bien naturel. Tu n'as pas besoin de t'en défendre.

LUCIENNE

Je ne m'en défends pas, je m'en étonne.

MOREAU

Ah! dans ce temps-là, tu ne couchais pas avec des pyjamas. Tu m'aimais, Lucienne, tu m'aimais.

LUCIENNE

Non, je ne t'aimais pas. (*Riant.*) Amoureuse de Moreau, moi? Tu es fou.

MOREAU

Et pourquoi pas amoureuse de Moreau?

LUCIENNE

Ah! pauvre homme, l'amour a une autre figure, un autre souffle. L'amour n'est pas un raccommodeur de pendules qui traîne des rhumatismes et des odeurs de boutique. Il est fort comme une bête, il prend les femmes à pleins bras, à pleines mains, il les brise, il les écrase, il leur saoule le ventre. Allons, bois ton café.

MOREAU

Qu'est-ce que tu racontes avec ton ventre? Moi, je te dis que tu m'aimais.

LUCIENNE

Je te dis que non. Je pense qu'en voilà assez. Faut-il te dire que j'ai passé quinze ans de ma vie à maudire l'imprudence de mes dix-sept ans?... Oui, quinze ans que je traîne le remords d'avoir embarrassé mon existence...

MOREAU

Ce n'est pas vrai, Lucienne. Tu as été heureuse, tu me l'as dit! Si, tu me l'as dit!

LUCIENNE

Je n'ai pas pu être heureuse. Je n'ai pas pu...

MOREAU

Si tu veux des détails...

LUCIENNE

Si tu veux une paire de claques!

MOREAU

Je voudrais bien voir...

LUCIENNE

Ne ricane donc pas, imbécile. Si tu pouvais deviner

tout ce que j'ai en tête. (*Silence.*) Tiens, fiche-moi le camp. Descends au magasin sans déjeuner, descends...

MOREAU

Lucienne, je te demande pardon...

LUCIENNE

Je m'en vais. C'est moi qui ai peur, maintenant.

Elle sort.

MOREAU, seul.

Ah! cette fois, tout est par terre... Je croyais pouvoir espérer encore, je me disais...

Entre Duxin, souriant et discret.

SCÈNE III

DUXIN, subitement gêné.

Je vous demande pardon, je ne savais vous trouver... en train de déjeuner.

MOREAU

Entrez, monsieur Duxin, entrez.

DUXIN

Je venais... à propos de réparations. Je voulais voir votre cheminée, elle doit avoir des fissures.

MOREAU

Ah! mon pauvre ami, il s'agit bien de cheminée! Si vous saviez ce qui arrive!

DUXIN

Quoi? Elle est malade?

MOREAU

Non, je ne peux pas vous le dire, j'ai le cœur serré, la gorge serrée, et l'estomac qui se contracte...

DUXIN

Un accident?

MOREAU

Ah! peut-on parler d'un accident quand le mal a couvé si longtemps! Mon pauvre ami, tout est fini!

DUXIN

Mais parlez, bon Dieu, parlez!

MOREAU

Monsieur Duxin, elle ne m'aime plus.

DUXIN

Ah! bon!

MOREAU

Elle vient de me le dire ici même.

DUXIN

Elle n'aurait pas dû.

MOREAU

Je ne sais pas comment la chose est venue. Oui,

c'est moi qui lui reprochais son attitude... Je crois vous avoir déjà parlé de mes inquiétudes...

DUXIN

Peut-être bien, oui.

MOREAU

Mais, depuis deux mois, je ne peux pas vous dire à quel point elle a changé...

DUXIN

Forcément.

MOREAU

Qu'est-ce que je vous disais?... Ah! non, je perds la tête, je n'y survivrai pas.

Il s'effondre sur la table.

DUXIN

Il s'assied en face de lui.

Monsieur Moreau... Monsieur Moreau... Il faut vous raisonner. Ces choses-là ne durent jamais longtemps, (*Il soupire.*) Elle vous reviendra. Vous êtes quand même son mari. Une femme n'oublie pas si vite qu'elle a été heureuse pendant des années.

MOREAU

Elle dit que ce n'est pas vrai.

DUXIN

Un coup de colère, monsieur Moreau, un coup de colère. Moi, je suis sûr que votre dame a de l'estime pour vous, elle sait que vous n'êtes pas n'importe qui.

MOREAU

Elle m'a dit que je n'étais pas fait pour l'amour.

DUXIN

Ça... Vous me direz que vous êtes mal foutu, c'est entendu. Et puis après? Moi, j'ai connu des hommes qui auraient passé dans un rond de serviette, des hommes avec des abattis en fil de fer, et un petit derrière comme une tête d'épingle. J'en ai connu, et il n'y en avait que pour eux.

MOREAU

Ah! monsieur Duxin, je n'ai plus d'espoir.

DUXIN

Les femmes, c'est tout en caprices. Ça dure ce que ça dure. Pas bien longtemps, allez. Vous, monsieur Moreau, vous avez la distinction, vous savez causer.

MOREAU, soupirant.

Je sais bien! Je sais bien.

DUXIN

Enfin, vous n'avez pas le métier de tout le monde. Ces choses-là, voyez-vous, ça compte.

MOREAU

Alors, vous croyez que c'est un coup de colère? Vous croyez qu'elle peut avoir de l'estime pour moi?

DUXIN

Pardi!

MOREAU

Une certaine estime... une certaine admiration

peuvent avoir une heureuse influence. C'est assez
naturel. Ah! monsieur Duxin, si vous disiez vrai...

DUXIN

Il ne faut jamais se décourager.

MOREAU

Je ne voudrais pas espérer à la légère, mais vos
paroles m'ont déjà réconforté...

DUXIN

Tant mieux, monsieur Moreau, tant mieux!

MOREAU

Après tout, vous avez raison, ce n'est probablement
qu'un caprice, une saute d'humeur. Ma femme n'a
pas pu oublier ces années d'un bonheur parfait, paisible. Nous nous aimions si tendrement, monsieur
Duxin...

DUXIN

N'y pensez pas trop...

MOREAU

Si amoureusement...

DUXIN

Ce qui est passé est passé, n'est-ce pas?

MOREAU

Il n'y a jamais eu un nuage au ciel de notre amour,
jamais une querelle. C'est ce qui me rassure un peu,
voyez-vous. Les beaux jours d'autrefois reviendront.

DUXIN

Ne vous y fiez pas, monsieur Moreau.

MOREAU

Nous retrouverons ces heures de fièvre et d'abandon, ces élans de tendresse toute passionnée...

DUXIN

Je n'ai pas dit ça, monsieur Moreau, je n'ai pas dit ça.

MOREAU

Le soir, après dîner, ce sera la chère intimité des années passées. Je prendrai Lucienne dans mes bras, elle me dira encore de ces petits mots qu'elle me disait si bien. Elle goûtera la saveur de mes baisers. Je lui...

DUXIN

Eh! là, doucement, tout doucement...

MOREAU

Elle aimera encore le frisson des caresses, la chaleur d'une étreinte. Je ne serai pas seulement son mari, je serai d'abord son amant. Vous m'entendez, Duxin, son amant!

DUXIN

Ne vous emballez pas si vite. Vous n'êtes pas plus raisonnable que tout à l'heure.

MOREAU

Je ne suis pas vicieux, monsieur Duxin, mais je vous promets...

DUXIN, irrité.

On vous a dit de vous taire, vous ne comprenez pas?

Ces choses-là ne se racontent pas devant un étranger.
Et puis... savez-vous seulement si elle vous a jamais
aimé? Qui donc peut être sûr de l'amour d'une
femme?

MOREAU, inquiet.

J'ai peut-être parlé trop vite...

DUXIN

C'est comme je vous disais tout à l'heure que vous
aviez de la distinction. Je ne m'en dédis pas à présent, mais enfin, ce n'est pas tout d'avoir de la
distinction. Il y a bien des qualités à faire passer
devant. Les femmes sont plus difficiles que vous ne
pensez.

MOREAU

Vous voyez bien! Vous voyez bien!... Je vous dis
que je n'ai plus rien à espérer de Lucienne. Je suis
le plus malheureux des hommes, je voudrais déjà...

DUXIN

Mais non, mais non. Vous n'êtes pas raisonnable,
monsieur Moreau. On ne sait plus comment vous
parler.

MOREAU

Tout est fini...

DUXIN

Il vaut toujours mieux se préparer au pire pour
n'avoir pas le choc de la déception, mais ce n'est pas
une raison de jeter le manche après la cognée.

MOREAU

Non, monsieur Duxin, non, n'essayez pas de me consoler. Il n'y a plus de joie pour moi sur la terre...

DUXIN

Monsieur Moreau... Voyons, voyons... Monsieur Moreau...

SCÈNE IV

Entre Madeleine par la gauche.

MADELEINE

Ah! M. Duxin est ici. Vous savez qu'il y a un monde fou dans la boucherie...

DUXIN

Les jours de marché, c'est toujours plein.

MADELEINE

Alfred ne sait plus où donner de la tête. Maman n'est pas là?

DUXIN, tirant sa montre, distraitement.

Elle ne va pas tarder.

MADELEINE

J'ai failli entrer pour lui donner un coup de main. Ce pauvre Alfred, il finira par tomber malade. Cou-

per la viande, peser, rendre la monnaie, ouvrir l'œil...,
non, c'est trop.

DUXIN

Justement, je m'occupe de chercher un commis.

MADELEINE

Un commis. Ce n'est pas un commis qu'il faudrait
à Alfred! Vous le savez bien...

DUXIN, montrant Moreau.

Vous me dites ça...

MADELEINE, à Moreau.

Mais qu'est-ce que tu as? Tu parais bouleversé...

MOREAU

Ah! mon pauvre petit!...

DUXIN

Mais non, ce n'est rien, M. Moreau se sent un peu
fatigué. Il a seulement besoin de prendre l'air de son
magasin. Quand on est dans les ennuis, il n'y a rien
de tel que le travail pour vous remettre d'aplomb.
Vous allez descendre tranquillement...

MOREAU

Tenez, monsieur Duxin, je veux vous faire dire par
ma fille que je n'invente rien...

DUXIN

Ce n'est pas la peine, je sais bien...

MOREAU

Madeleine, est-ce que depuis deux mois, ta mère n'est pas transformée?

MADELEINE

Maman est peut-être souffrante...

MOREAU

Souffrante? Allons donc... Je ne lui ai jamais vu une mine aussi éclatante.

DUXIN

Vous savez, il y a des drôles de maladies...

MOREAU

Mais non, je vous dis qu'elle rayonne de santé. Pourquoi ne pas convenir simplement qu'elle devient indifférente à tout ce qui touche sa famille?

MADELEINE

Oh!

MOREAU

Je ne parle pas de moi. Il est entendu que je ne suis plus rien. Mais toi, Madeleine, toi, sa fille, est-ce qu'elle ne parle pas tous les jours de te mettre en pension?

MADELEINE

Oui, mais moi, je ne veux pas. Entrer en pension, quand je suis en âge de me marier? Ah! non! D'ailleurs, tu ne le voudras pas.

MOREAU

Nous nous défendrons.

MADELEINE

Oui, tu dis ça..., mais quand maman nous en parle, tu n'oses pas protester.

MOREAU

Je proteste quand tu n'es pas là.

MADELEINE

Lui as-tu dit que j'étais en âge de me marier?

MOREAU

Non, ma petite fille, non. Je n'y avais pas songé, vois-tu!

MADELEINE

Naturellement, tu t'en fiches.

MOREAU

Voyons, Madeleine, mais rien ne presse. Il n'y a pas si longtemps que tu jouais encore au ballon et que tu sautais à la corde.

MADELEINE

Maman n'avait-elle pas dix-sept ans quand tu l'as épousée?

MOREAU

C'est vrai.

MADELEINE

Alors?

MOREAU

Ma pauvre tête en l'air, mais qu'est-ce que tu veux que je te dise? Il faudrait déjà trouver un mari.

MADELEINE

Alfred.

MOREAU

Quoi, Alfred?

MADELEINE

Il n'y a pas deux Alfred. Je parle du fils de M. Duxin.

DUXIN

Mon garçon Alfred qui travaille à la boucherie. Ça n'est pas un mauvais métier, monsieur Moreau.

MOREAU

Tu ne penses pas sérieusement...?

MADELEINE

Mais si! J'y pense sérieusement!

DUXIN

De son côté, je peux vous dire qu'Alfred...

MOREAU

Monsieur Duxin, vous n'êtes peut-être venu ici, sous le prétexte d'examiner la cheminée, que pour m'entretenir d'un mariage entre Madeleine et votre fils. Je vous réponds tout de suite que ce mariage-là est impossible. Madeleine le sait bien.

MADELEINE

J'aime Alfred.

MOREAU

Naturellement, puisque tu veux l'épouser. Mais il n'y faut plus penser, ma petite fille. Et ce que je te dis là, ta mère te le dira aussi bien. C'est peut-être le seul point sur lequel nous soyons d'accord aujourd'hui.

MADELEINE

J'entrerai au couvent.

MOREAU

Il faudrait encore mon autorisation.

MADELEINE

Je me sauverai.

MOREAU

Mais non, tu réfléchiras, tu épouseras un autre jeune homme. Il n'en manque pas...

MADELEINE

Je n'épouserai qu'Alfred.

DUXIN

Monsieur Moreau, je sais bien que le métier d'Alfred ne vous plaît pas. L'horlogerie est plus propre, c'est entendu. Mais il y a autre chose à considérer...

MOREAU

Mon opinion est faite, nous n'allons pas revenir là-dessus.

DUXIN

Ecoutez, quand une fille se marie avec un beau garçon comme voilà mon Alfred, un beau garçon, franc, solide sur ses pieds, qui vous assomme déjà son bœuf à dix-huit ans, elle a des chances de n'être pas malheureuse...

MOREAU

Votre point de vue...

DUXIN

Moi qui vous parle, j'ai connu des ménages de bouchers. Les femmes avaient du plaisir, monsieur
Moreau. Elles ne disaient pas que leurs maris sen-
taient le renfermé, elles ne pensaient pas au voisin, non
plus...

MOREAU, aigre.

Où voulez-vous en venir, monsieur?

DUXIN

Du temps que j'étais garçon, j'avais des patrons
d'une quarantaine d'années et qui n'étaient pas mariés
de la veille. N'empêche. Il fallait les voir qui se pin-
çaient derrière la caisse et qui jouaient à se faire cou-
cou entre les cuisses d'une bête éventrée...

MOREAU

Des jeux distingués...

DUXIN

Et qui passaient à chaque instant dans l'arrière-
boutique, pas pour discuter le prix de l'escalope, bien
sûr!

MOREAU

Vous parlez ici devant une toute jeune fille. Je vous
invite...

DUXIN

Et pourtant, la patronne était une personne de la
société. Elle avait eu son brevet, oui bien!

MOREAU

Nous ne voyons pas les choses avec le même regard,

et je n'en suis pas surpris. Nos divergences s'expliquent assez par les caractères particuliers à nos professions...

MOREAU

Laissez-moi rire avec vos professions!

MOREAU

Un objet d'art est un objet d'art, monsieur. A manipuler des sujets en bronze et des biscuits de Saxe, on apprend à réfléchir sur le sens de la vie. Le commerce d'une clientèle polie peut ouvrir à un homme d'esprit des horizons sans fin sur la philosophie humaine, des horizons qui ne seront jamais du domaine de la boucherie, monsieur.

DUXIN, d'une voix contenue.

Ça va bien, laissez la boucherie tranquille.

MOREAU

C'est ainsi que j'ai pu me fortifier dans cette opinion que la vie d'une épouse n'est pas une partie de plaisir...

DUXIN, éclatant.

Surtout quand on la marie avec un homme de bricole et de pantoufle, un pauvre bougre au teint jaune, le cou monté dans un faux col raide, tordu sur une chaise, en chien de fusil, pendant toute une journée, à gribouiller, à démonter, à farfouiller, à raccorder. Ça rentre chez soi abruti, variqueux, constipé et puant de la gueule! Beau cadeau à faire à une fille!

MADELEINE

Tu vois bien papa.

MOREAU

Je vois que M. Duxin...

DUXIN

Nous autres, dans la boucherie...

MOREAU

Je vois que M. Duxin n'a pas oublié ses rancunes d'autrefois. Je vois qu'il médite toujours...

DUXIN

S'agit pas de rancune. Je vous dis ça...

MOREAU

J'ai eu la faiblesse de croire qu'un geste généreux de ma part pouvait éveiller chez lui le sentiment de la dignité...

DUXIN

Mais non, je vous dis simplement...

MOREAU

Tendez la main à un boucher, aussitôt il vous réclamera la main de votre fille. J'aurais dû prévoir...

DUXIN

Vous n'allez tout de même pas regretter...

MOREAU

Au moins, cette apparente réconciliation m'aura

permis de mesurer l'abîme qui sépare un commerçant honorable d'un étrangleur de bêtes.

DUXIN

Monsieur Moreau, vous m'avez mal entendu. Je n'ai jamais pensé...

MOREAU

Je ne veux pas de vos excuses.

DUXIN

Nous n'allons pas nous fâcher encore une fois? Je suis sûr que si Mme Moreau savait...

MOREAU

Mme Moreau n'a nulle envie de vous rencontrer ici. Vous voudrez bien à l'avenir vous le tenir pour dit.

DUXIN

Encore une fois, je vous affirme...

MOREAU

Je ne vous retiens pas davantage.

DUXIN

Il sort en haussant les épaules.

Il ne comprend pas que ça va encore lui retomber sur le dos.

Scène V

MOREAU

As-tu vu? Avec moi, les choses ne traînent pas.

MADELEINE

M. Duxin n'avait rien dit...

MOREAU

Il a dit. Tu ne vas pas le défendre devant ton père?

MADELEINE

Pourquoi pas? Puisque je dois épouser Alfred un jour ou l'autre.

MOREAU

Un jour ou l'autre...

Il ricane.

MADELEINE

S'il le faut, j'attendrai ma majorité.

MOREAU

C'est ça. Attends ta majorité. D'ici là...

MADELEINE

Oh! j'espère bien l'épouser avant.

MOREAU

Il faudrait déjà m'enterrer... Ma fille épouser

Alfred? Un coupeur de viande, un égorgeur? J'aimerais mieux...

MADELEINE

Qu'est-ce que tu aimerais mieux? Que je me sauve avec lui?

MOREAU

Essaie un peu. Je le ferai fourrer en prison.

MADELEINE

Et moi, je te déshonorerai. Je coucherai avec des hommes.

MOREAU

Tu... (*Criant*.) En pension! en pension!

Entre Lucienne.

LUCIENNE

Qu'est-ce qui te prend? C'est toi, maintenant, qui parles de la mettre en pension?

MOREAU

En pension! au couvent! au cloître! au pain sec! Qu'on me l'enferme entre quatre murs avec une cruche et un chapelet! Qu'on me l'attache des quatre pattes! Ah! gourgandine!

LUCIENNE

Vas-tu me dire enfin ce qui s'est passé?

MADELEINE

Maman, je disais tout à l'heure...

MOREAU

Taisez-vous, dévergondée! (*A Lucienne.*) Il se passe que notre fille prétend épouser Alfred le garçon boucher, le fils du boucher, et qu'elle se révolte contre ses parents. Voilà ce qui se passe.

LUCIENNE

Madeleine?

MADELEINE

Oui, j'aime Alfred, je veux l'épouser.

LUCIENNE

Eh bien, ma fille, il faut y renoncer. Nous n'en parlerons plus. Va-t'en à ta leçon de piano.

> Madeleine sort en faisant claquer la porte.

MOREAU

As-tu vu cette sortie? Quand je pense qu'elle est allée se fourrer dans la tête... Et croirais-tu qu'il n'y a pas cinq minutes, le boucher osait soutenir ici les prétentions de son fils, et de quel ton!

LUCIENNE

Ah! il est venu?

MOREAU

Il est venu et il est reparti. Tu peux croire que je n'ai pas été long à le flanquer à la porte!

LUCIENNE

Comment! Comment!

MOREAU

Je t'assure qu'il n'en menait pas large...

LUCIENNE

Mais non, tu ne l'as tout de même pas mis dehors!

MOREAU

Il a pris la porte sans demander son reste!

LUCIENNE

Alors, c'est vrai, tu as osé mettre Duxin à la porte!
Tu as osé... Ah! Moreau!... Moreau!

MOREAU

Voyons, Lucienne, mais tu sais bien...

LUCIENNE

Ah! tu l'as flanqué à la porte! Et de quel droit...

MOREAU

Puisqu'il disait...

LUCIENNE

Ça m'est égal.

MOREAU

Il disait que la boucherie...

LUCIENNE

Duxin a dit ce qu'il devait dire. Il avait raison. Il
a toujours raison.

MOREAU

Tu vois, Lucienne, tu es injuste.

LUCIENNE

Oui, injuste... Ah! tu l'as flanqué à la porte... Va,
va... tu le regretteras.

MOREAU

Si tu avais de l'affection pour moi, tu conviendrais...

LUCIENNE

Imbécile... de l'affection! Mais tu ne veux donc pas comprendre que ta présence me dégoûte et qu'un jour la patience me manquera et que le dégoût me fera perdre la tête? Alors, tu ne vois rien? Tu ne sens rien?

MOREAU

Non, Lucienne, ne dis pas...

LUCIENNE

Ah! tu l'as flanqué à la porte, comme ça, sans rien me dire? à moi, à moi? Allez, Duxin, prenez la porte. Vous avez trop d'épaules, vous êtes trop jeune, trop fort. Allez-vous-en. Hein! Moreau, tu le trouvais trop beau?

MOREAU

Lucienne, tu me caches quelque chose.

LUCIENNE

Il te gênait, dis?

MOREAU

Pourquoi me demandes-tu ça?

LUCIENNE

Et moi aussi, peut-être que je te gêne. Tu me trouves trop jeune. Tu as peur, hein?

MOREAU

Je ne sais pas... tu me regardes...

LUCIENNE

Je voudrais que tu aies peur de moi.

MOREAU

Tais-toi... tu ne sais plus ce que tu dis.

LUCIENNE

Va, Moreau, tu peux avoir peur, tu peux trembler.
Si tu savais toutes les tentations qui me passent par la
tête et par les mains, tu aurais peur. Regarde-moi,
Moreau, regarde-moi.

MOREAU

Tu as les nerfs malades, laisse-moi.

LUCIENNE

Regarde-moi, je suis ton ennemie.

MOREAU

Tu ne peux pas penser ce que tu dis. Ne me
regarde plus, tu me fais peur. J'ai peur.

LUCIENNE

Ah! tu l'as flanqué à la porte!

MOREAU

J'ai eu tort... j'ai eu tort...

LUCIENNE, criant.

Va le chercher! Appelle-le par la fenêtre!

MOREAU

Lucienne, tu ne peux pas m'obliger...

LUCIENNE, marchant sur lui.

Je te dis de l'appeler par la fenêtre!

MOREAU

J'y vais... (*Il ouvre la fenêtre et appelle d'une voix presque basse.*) Monsieur Duxin! Monsieur... Non, Lucienne, je ne peux pas... (*Il quitte la fenêtre. La table le sépare de Lucienne.*) Je ne peux pas... Tu me fais peur... Laisse-moi...

LUCIENNE

Tu lui feras des excuses, Moreau.

Elle se penche sur la table.

MOREAU

Oui, laisse-moi partir... je lui dirai ce que tu voudras...

Il sort.

SCÈNE VI

LUCIENNE s'assied, les bras allongés sur la table.

Cette fois j'ai cru que ça y était. Je deviens folle... Dire que je me suis donnée au boucher par précaution. J'ai cru lui donner mon corps comme on se débarrasse d'une chose dangereuse. Et jamais je n'ai eu aussi peur de moi.

SCÈNE VII

Entre Madeleine.

MADELEINE

Maman, je ne suis pas encore partie.

LUCIENNE

Assieds-toi là, en face de moi. Tu as bien fait de revenir.

MADELEINE

Je n'ai pas pu m'en aller.

LUCIENNE
Elle se lève.

Tu n'as pas entendu marcher dans l'escalier? (*Un silence.*) Je me suis trompée.

Elle se rassied.

MADELEINE
Je voulais te dire...

LUCIENNE

Qui as-tu vu en bas?

MADELEINE

J'ai aperçu Alfred.

LUCIENNE

Et son père?...

MADELEINE

Quand je suis passée, il était sur le seuil de la boucherie avec un client.

LUCIENNE

Ah!...

Silence.

MADELEINE

Maman, je ne veux pas aller en pension.

LUCIENNE

Tu n'iras pas en pension. Tu resteras près de moi. Il ne faut pas que je reste seule.

MADELEINE

C'est vrai? Je n'irai pas en pension?

LUCIENNE

Non. J'ai besoin de ma fille. Tu viens me dire que tu aimes Alfred? Tout à l'heure je t'ai parlé trop durement. (*On frappe à la porte.*) Ce doit être le boucher... Va ouvrir.

SCÈNE VIII

MADELEINE

C'est Alfred. (*Elle embrasse Alfred.*) Vous savez, maman est d'accord.

ALFRED

Bonjour, madame. J'apporte la viande.

LUCIENNE

Bonjour, Alfred. Nous étions en train de parler de vous. Mais n'écoutez pas Madeleine, les choses ne vont pas si vite qu'elle dit.

ALFRED

Aussi, je me disais...

LUCIENNE

Il faut réfléchir à tête reposée. Nous ne sommes pas pressés.

ALFRED

Franchement, ce n'est pas notre avis.

MADELEINE

Ce n'est pas notre avis.

LUCIENNE

Il est préférable d'attendre... Quand ce ne serait que pour vous donner le temps de vous mieux connaître. Je suis sûre que M. Duxin est de mon avis.

ALFRED

Je ne crois pas. Enfin, vous lui en parlerez tout à l'heure, il doit monter pour examiner l'état des cheminées, si ça ne vous dérange pas.

LUCIENNE

Moi, pas du tout. A quelle heure vous a-t-il dit?

ALFRED

Aussitôt que je serai descendu. Il faut quelqu'un à la boucherie.

LUCIENNE

Donnez-moi la viande, Alfred. Descendez tout de suite et dites à M. Duxin de monter.

ALFRED

Au revoir, madame. (*A Madeleine.*) Au revoir.

MADELEINE

Au revoir.

Alfred sort.

Scène IX

LUCIENNE

Elle se met de la poudre et du rouge.

Qu'est-ce qui te fait croire que tu aimes Alfred?

MADELEINE

Quelle question... Je sais que j'aime Alfred, voilà tout.

LUCIENNE

En somme, tu ne veux pas me répondre.

MADELEINE

Mais si, mais... Il y a tant de choses qui me font croire que j'aime Alfred... Tiens, par exemple, quand je pense à lui, je sens un frisson, là sous le sein gauche.

LUCIENNE

Ah! oui? Alors, en ce moment...

MADELEINE

Non, peut-être pas... Devant les parents, le frisson n'est pas ce qu'il est d'habitude.

LUCIENNE

Et encore? Ah! on frappe... (*Lucienne va ouvrir.*) Va vite à ta leçon de piano. Il faut que je parle au boucher.

SCÈNE X

DUXIN

Il pousse la porte avec précaution.

C'est moi. (*Il voit Madeleine.*) Je viens pour les réparations.

MADELEINE

Sa mère la pousse dehors.

Au revoir, monsieur Duxin.

Lucienne referme la porte.

LUCIENNE

Enfin! Allons, ne reste pas les bras ballants, dépêche-toi. Il est plus de neuf heures.

DUXIN

Je n'ai pas pu revenir aussitôt...

LUCIENNE

Il fallait. Quand tu n'es pas là, j'ai peur de moi, je suis enragée.

DUXIN

Il faut être raisonnable. M. Moreau n'est pas heureux.

LUCIENNE

Ce n'est pas lui qu'il faut plaindre, c'est moi. Tu ne sauras jamais me plaindre assez.

DUXIN

Tu as beau dire, ce n'est pas pareil...

LUCIENNE

Pas pareil... bien sûr que non, ce n'est pas pareil. Mais tu ne comprends pas... Tu ne comprends pas que je vis avec cet être-là, que je couche avec lui...

DUXIN

Ce serait si simple de faire chambre à part...

LUCIENNE

Oui, et toute la ville saura que je ne couche pas avec mon mari! Non, je suis condamnée à Moreau, je suis condamnée jusqu'au jour où il m'aura poussée à bout...

DUXIN

Tu exagères, Lucienne.

LUCIENNE

Ah! tu ne sais pas où j'en suis. Tout à l'heure...

DUXIN

Tu y penses trop...

LUCIENNE

Et c'est à chaque instant. Tiens, cette nuit même, je me suis éveillée au commencement du jour. Il dormait la bouche ouverte, les joues molles, dégoûtant comme un mort satisfait qui viendrait de faire une mauvaise farce.

DUXIN

Un mort, je te demande un peu... un mort!

LUCIENNE

Il avait un sourire ignoble; il rêvait bien sûr, qu'il me pressait contre lui, sur son ventre.

DUXIN

Pas forcément. Tu te figures toujours des choses...

LUCIENNE

Je te dis que si! Et moi, en regardant son sourire, j'ai eu envie de l'étrangler.

DUXIN

Tu es folle. Tu penses toujours à Moreau, tu en parles toujours. Pense à nous, pense à nos matins. Le reste ne compte pas, c'est du travail, des heures qu'on abat.

LUCIENNE

Tu ne me dis rien, tu ne me dis rien... Qu'est-ce que tu vas faire pour moi?

DUXIN

Il faut faire la part des choses une bonne fois.

LUCIENNE

Si tu m'aimais, tu comprendrais ma haine... tu ne me donnerais pas le conseil d'accepter... Tu souffrirais de la présence de Moreau à mes côtés... tu ne supporterais pas son empressement, son insistance... Tu ne m'aimes pas...

DUXIN

Mais enfin, qu'est-ce qu'il faut que je fasse?

LUCIENNE

Tu sais qu'il me poursuit, qu'il ne me laisse pas de repos, et qu'à chaque instant...

DUXIN

Tu ne m'avais pas dit...

LUCIENNE

Si tu m'aimais, tu l'aurais déjà compris... Tu me défendrais contre lui...

DUXIN

A moins de le mettre au courant, je ne peux pas...

LUCIENNE

Tu sais qu'il me rend la vie insupportable. Tu sais qu'il nous gêne...

DUXIN

J'essaie de prendre patience.

LUCIENNE

Prendre patience. · On n'a pas grand mérite à prendre patience quand on est incapable d'un mouvement de colère... de juste violence...

DUXIN

Lucienne, si tu veux partir avec moi, je suis prêt. Demain... ce soir si tu veux!

LUCIENNE

Et demain, la ville répétera que Mme Moreau s'est fait enlever par le boucher? Si c'est tout ce que la passion t'inspire... Tant pis.

DUXIN

Mais encore une fois, qu'est-ce que je dois faire?

LUCIENNE

C'est bon. Puisque tu ne veux pas comprendre... Tiens, va m'attendre à côté. Je viens. Laisse tes galoches à la porte.

DUXIN

Il se dirige sur la porte de droite.

Lucienne, tu es en colère.

LUCIENNE

Non. Va... je te rejoins.

Duxin sort par la droite.

Scène XI

LUCIENNE

Elle ouvre la fenêtre et se penche sur la rue.

Moreau... oui, je t'appelle... Il faut que tu montes tout de suite... Quoi?... naturellement, je ne t'appellerais pas par la fenêtre... Tu n'as qu'à fermer à clé...

Elle ferme la fenêtre.

Scène XII

DUXIN

Il entrouvre la porte de la chambre.

Tu parlais à quelqu'un?

LUCIENNE

Oui, j'ai dit un mot à Madeleine, par la fenêtre.

DUXIN

Ecoute, Lucienne, partons ensemble. Je vends la boucherie. Je m'installe dans une autre ville, avec Alfred. Tu viens vivre là-bas, avec Madeleine.

LUCIENNE

Non. Trouve autre chose. Cache-toi. On vient.

Lucienne referme la porte. Entre Moreau.

SCÈNE XIII

MOREAU

Qu'est-ce qui se passe?

LUCIENNE

Je voulais te demander où tu as mis la facture de
la couturière.

MOREAU

Je ne l'ai jamais vue... et c'est pour ça que tu m'as
fait monter? Mais qu'est-ce que ces galoches, là?

LUCIENNE

Je n'arrive pas à mettre la main dessus, je me
demande...

MOREAU

Duxin est ici!

LUCIENNE

Mon Dieu, Moreau, comme tu es vieux. Et comme
tu es laid.

MOREAU

Duxin est ici.

LUCIENNE

Mais oui. Il est dans la chambre à coucher, il a
laissé ses galoches à la porte.

MOREAU

Lucienne, ce n'est pas vrai?

LUCIENNE

J'allais me déshabiller. C'est bientôt fait, tu sais.

MOREAU

Tais-toi, on ne plaisante pas avec ces choses-là.

LUCIENNE

C'est un bel homme, ce boucher. Quand il m'écrase sous son tablier, je deviens furieuse de plaisir.

MOREAU

Je ne comprends pas qu'une femme sérieuse s'amuse à dire ces insanités.

LUCIENNE

Alors, tu n'en crois pas les galoches? Tu ne veux pas croire que je sois la poule du boucher?

MOREAU

Je n'ai jamais songé à t'accuser.

LUCIENNE

Mais puisque je te le dis!

MOREAU

Nous n'allons pas nous fâcher encore une fois. Tiens, je m'en vais.

LUCIENNE

Je te dis que je suis la poule de Duxin.

MOREAU

Comment peux-tu prononcer un mot pareil?

LUCIENNE

Depuis deux mois. Tu ne me crois pas?

MOREAU

Je m'en vais. Tu es ridicule.

LUCIENNE

Je vois bien qu'il te faut des preuves... (*Elle ouvre
la porte de droite.*) Viens, mon chéri.

Duxin entre, hésitant, et remet ses galoches.

Scène XIV

LUCIENNE, à Moreau.

Me croiras-tu cette fois?

MOREAU

Mon Dieu, je comprends tout.

LUCIENNE, riant.

Il a compris!

DUXIN

Lucienne... taisez-vous... dans un moment pareil...

MOREAU

Vous êtes deux misérables, deux crapules! Vous

m'avez... vous m'avez... oui, crapules! cochons! Vous
avez sali le nom de Moreau!

LUCIENNE, à Duxin.

Il nous traite de crapules, il nous jette des injures.

DUXIN

Soyez raisonnable, Lucienne.

MOREAU

Deux crapules! un voyou qui vient s'accoupler avec
une garce.

LUCIENNE, à Duxin.

Tu ne vas pas me laisser insulter?

MOREAU

Oui, avec une garce, dans la chambre d'un commerçant honnête! Tous les vices! toutes les saletés qu'on
peut attendre d'un coupeur de viande qui s'est enrichi
dans le sang des agneaux!

Il s'assied, accablé.

LUCIENNE

Un coupeur de viande! (*A Duxin.*) Réponds-lui!

DUXIN

Il faut se mettre un peu à la place de M. Moreau.

MOREAU

Je n'aurai passé deux années à l'école d'horlogerie
et payé patente pendant trente ans que pour voir
un sagouin se déculotter dans mon mobilier.

DUXIN, à Lucienne.

Il faut comprendre les choses.

MOREAU

Le résultat de toute une existence de probité, d'honneur et de travail!

LUCIENNE, à Duxin.

Si tu avais un peu de fierté...

MOREAU

Ma femme aux bras d'un goujat qui n'a ni éducation ni savoir-vivre!

LUCIENNE

Ah! non! c'est trop! réponds-lui. Il finira par croire que tu as peur de lui.

DUXIN

C'est à nous d'être calmes. Je n'ai pas le droit...

MOREAU

Un voyou! un porc...

LUCIENNE

Bien sûr. Il continue...

MOREAU

Un grand salaud de boucher, d'étrangleur de bêtes, un... un...

LUCIENNE, à Duxin.

Et tout à l'heure, il te flanquait à la porte!

DUXIN, à Lucienne.

Les torts ne sont pas de son côté.

MOREAU, à voix basse.

Un cochon... un cochon...

LUCIENNE, à Duxin.

Tu as bon caractère.

MOREAU

Ma vie est brisée.

DUXIN

Monsieur Moreau...

MOREAU

Ma vie est finie... je suis une épave...

DUXIN

Monsieur Moreau... il ne faut pas vous décourager.
Vous savez ce que je vous ai dit...

MOREAU

Je vous défends de m'adresser la parole! cochon!
crapule! vous devriez rougir...

DUXIN

Ecoutez donc, monsieur Moreau...

MOREAU

Ce n'est pas ma femme que j'accuse... c'est vous seul!
Lucienne a toujours été une honnête femme...

DUXIN

Bien sûr...

Lucienne hausse les épaules.

MOREAU

Si vous avez réussi à persuader Lucienne que le désir d'une brute la rendrait plus heureuse que l'amour d'un homme bien élevé, je vous réponds qu'elle en reviendra.

LUCIENNE

Imbécile.

MOREAU

Elle en reviendra, oui. Vous apprendrez ce que peut être une honnête femme, qui reste honnête quoi qu'elle fasse...

LUCIENNE

As-tu fini de radoter, Moreau?

MOREAU

Qui a l'honnêteté sous la peau, et dans le sang, comme une maladie.

LUCIENNE, à Duxin.

Mais flanque-le donc dehors.

MOREAU

Imbécile, vous avez cru qu'il suffisait de coucher avec une honnête femme pour en disposer? Je suis tranquille, votre illusion sera de courte durée.

LUCIENNE

Mais tu nous rases avec tes couplets.

MOREAU

Je sais ce que je dis. En fin de compte, les maris ont toujours raison. Il y a l'honnêteté de leurs femmes et le temps qui travaillent pour eux.

LUCIENNE

Tu n'es guère en situation de fonder sur l'honnêteté de ta femme, et tu n'es plus très jeune pour compter sur le temps.

MOREAU

Je sais ce que je dis.

DUXIN

Il faut tout de même espérer que les choses ne s'arrangeront pas si vite.

MOREAU

Je ne vous permets pas...

DUXIN

Je vous demande pardon, je parle sans penser...

MOREAU

Sachez, d'ailleurs, que je n'attendrai peut-être pas longtemps la vengeance, boucher. Je vous flanquerai le commissaire aux trousses.

LUCIENNE

Tu dis encore une bêtise. Un amant n'a rien à craindre du commissaire.

MOREAU

Je lui foutrai une balle dans la peau, à ton boucher.

LUCIENNE

Tu n'oseras jamais.

MOREAU

Non, mais ça ne fait rien... On ne me connaît pas encore!

DUXIN

Monsieur Moreau, pourquoi donc se monter la tête; une fois que le mal est fait...

MOREAU

Silence, vous! Je vous méprise comme ma femme vous méprise. Et je maintiens que vous êtes un voyou, un cochon, et un coupeur de viande!

LUCIENNE

Moreau, je te conseille un peu de modestie. Je n'ai pas la patience de Duxin, moi.

DUXIN

Madame Moreau...

MOREAU

Devant moi, vous pouvez l'appeler Lucienne. Profitez-en, ça ne durera pas. (*A Lucienne.*) Comme je ne suis pas de taille à me colleter avec ton égorgeur, je préfère quitter la place. Je m'en vais la tête haute, comme un homme qui n'a rien à se reprocher, qui compte sur l'honnêteté de sa femme, et qui attend son heure.

Il se dirige vers la porte de gauche.

LUCIENNE

Bavard...

DUXIN

Il accompagne Moreau jusqu'à la porte.

Monsieur Moreau... Monsieur Moreau... il y a un malentendu...

MOREAU

La main sur le bouton de la porte.

Un malentendu qui ne tournera pas à votre avantage, boucher. Vous n'avez jamais vu une honnête femme qui fait le compte de sa réputation, de son argent et de son amour, mais vous verrez ça...

Il sort.

DUXIN

Il revient vers Lucienne qui s'est assise sur la table.

Ce pauvre M. Moreau, je ne peux pas m'empêcher d'être peiné pour lui.

LUCIENNE

Oui, oui, tu es bon, c'est entendu.

DUXIN

Voyons, Lucienne, je ne pouvais pourtant pas l'engueuler.

LUCIENNE

Tu es bon pour Moreau, mais tu me laisses traiter de garce et de crapule sans un mot de protestation.

DUXIN

Il y a des circonstances...

LUCIENNE

Tu as encore trouvé le moyen de lui faire des excuses.

DUXIN

Qu'est-ce que tu veux, on comprend qu'il soit en colère, cet homme.

LUCIENNE

Ah! ce n'est pas toi qui te mettras jamais en colère.

DUXIN

Je n'ai pas de raison d'être en colère, moi.

LUCIENNE

Tant pis... (*Elle se lève et pousse Duxin vers la porte de droite.*) Allons, viens. Tu n'es bon qu'à ça.

ACTE IV

La bijouterie. A droite, l'étalage et la porte ouvrant sur
la rue. A gauche, portière séparant la boutique de l'arrière-boutique. Au centre, une vitrine basse, s'ouvrant
par le milieu.

SCÈNE PREMIÈRE

Grimpé sur une échelle, Moreau cherche dans un pla-
card. Un client examine des services à découper posés
sur la banque.

MOREAU

Je vais vous montrer le même service à découper
avec un manche en argent...

LE CLIENT

Mais non, ce n'est pas la peine...

MOREAU

Lame d'acier inoxydable, bien entendu. Toutes nos
lames sont garanties, monsieur.

Il descend de son échelle avec un écrin.

LE CLIENT

Je vous assure, le manche de corne est bien suffisant.

MOREAU

Il faut voir les deux services l'un à côté de l'autre pour en juger. Cela ne vous engage pas.

LE CLIENT

Je sais bien...

MOREAU

Dans ma profession, j'ai pour premier principe de respecter la liberté des clients, mais je n'en ai pas moins le devoir de les éclairer.

LE CLIENT

Le manche de corne...

MOREAU

On n'achète pas un service à découper tous les jours, c'est une dépense importante qu'il faut faire avec réflexion.

LE CLIENT

J'ai réfléchi et je crois...

MOREAU

Quand on achète du beau, on sait ce qu'on achète. Tenez, prenez l'article en main. Prenez! Est-ce lourd, dites? on croirait de l'argent massif.

LE CLIENT

Et ce n'est pas de l'argent massif?

MOREAU

Ah! non, c'est creux, comme vous y allez, vous. De l'argent massif! Il faudrait être Rothschild!

LE CLIENT

Alors, j'aime mieux le manche en corne.

MOREAU

A votre aise, monsieur, à votre aise. Je ne voudrais pas influencer votre choix, mais laissez-moi vous dire que le modèle en argent, beaucoup plus solide que l'autre, mieux monté, est aussi d'un travail plus artistique. Voyez donc quel fini!

LE CLIENT

Oh! vous savez, c'est pour un cadeau...

MOREAU

Justement, quand il s'agit d'un cadeau, l'on est obligé d'être plus difficile que pour soi-même.

LE CLIENT

Oui, mais c'est un cadeau pour ma femme...

MOREAU

Justement! Il n'y a rien de plus difficile que de satisfaire sa femme, et vous ne prendrez jamais assez de précautions. Je vous parle en homme qui connaît la vie.

LE CLIENT

Vous comprenez, c'est que le service d'argent coûte bien plus cher que l'autre!

MOREAU

Plus cher? Non, monsieur, il n'est pas plus cher. Je dirai même qu'il est moins cher, si l'on tient compte du travail et de la matière...

LE CLIENT

Quand même, vous aurez beau dire...

MOREAU

Si vous voulez offrir quelque chose de joli, d'élégant, offrez un service à découper en argent. Vous me direz : mais le manche de corne... Eh bien, monsieur, non! ne me parlez pas du manche de corne! A présent, le manche de corne est dans tous les tiroirs.

LE CLIENT

C'est vrai, je connais plusieurs personnes...

MOREAU

Le monde en est fatigué, du manche de corne!

LE CLIENT

Il est certain que le manche d'argent fait plus distingué.

MOREAU

Comment donc! Un service d'argent, voyez-vous, mais c'est comme un bijou de famille. C'est pour vous la certitude que vos petits-enfants ne mangeront jamais du gigot sans soupirer : « C'était le service à découper du grand-père... »

LE CLIENT, ému.

Bien sûr... Bien sûr...

MOREAU

Au lieu que le manche de corne finit toujours à la cuisine. Eh oui, la corne, ça sent la cuisine, la boucherie... Je ne peux pas mieux vous dire, la boucherie.

Lucienne est entrée par la portière de l'arrière-boutique et se tient à quelques pas.

LE CLIENT

Et il coûte combien, celui-ci?

MOREAU

Cent trente-cinq francs, monsieur.

LE CLIENT

Ce n'est pas donné, cent trente-cinq francs!

MOREAU

Oui, mais c'est en argent, et vous profitez d'une occasion. Le prochain assortiment sera augmenté de quarante francs.

LE CLIENT, hésitant.

C'est cher, cent trente-cinq francs!

MOREAU

Que voulez-vous, l'objet d'art sera toujours l'objet d'art. Vous ne trouverez nulle part ailleurs quelque chose d'aussi beau. Tenez, j'ai offert le même à ma femme pour son anniversaire. N'est-ce pas, Lucienne?

LUCIENNE

Pas du tout, tu m'as donné de la corne.

MOREAU

Voyons, Lucienne, tu ne te souviens pas?... (*Au client*.) Nous invitons si rarement, vous comprenez...

LUCIENNE

Je m'en souviens parfaitement.

MOREAU

Tu sais bien, c'est un manche d'argent avec des marguerites.

LUCIENNE

Tu n'as pas besoin de cligner de l'œil. Je suis sûre que mon service est en corne.

MOREAU

Et moi, je suis sûr qu'il est en argent.

LUCIENNE

Tu sais très bien qu'il est en corne.

MOREAU

Enfin, bon sang!... (*Au client*.) Monsieur, je vous demande pardon.

LE CLIENT

Ecoutez, je ne suis pas décidé... Je repasserai...

MOREAU

Mais non, ne partez pas. Nous allons pouvoir nous

entendre! Si vous n'achetez pas celui-ci, vous achète-
rez le manche de corne. C'est très soigné, d'un bon
usage...

LUCIENNE

Oui, le manche de corne est très solide. Le mien me
donne toute satisfaction.

MOREAU

Ce n'est pas vrai, c'est de l'argent! C'est de l'argent!

LE CLIENT

Je préfère réfléchir encore un peu. Comme je ne
suis pas pressé...

MOREAU

Je vais vous faire voir d'autres articles... Une
minute...

LE CLIENT

Non, non..., une autre fois... (*Il gagne la porte.*)
Dans la soirée, je repasserai...

MOREAU

Il l'accompagne jusqu'à la porte.

Ah! monsieur, un client ne repasse jamais!

Le client sort.

SCÈNE II

MOREAU

Une vente qui était presque faite! Je lui rabattais cent sous, et il emportait l'écrin! Il l'emportait!

LUCIENNE

C'est ennuyeux.

MOREAU

Je l'avais décidé, et il a fallu...

LUCIENNE

Tu ne sais pas, Moreau, je suis en train de me demander si tu n'avais pas raison. Il me semble bien qu'en effet, tu m'avais offert un service à découper en argent...

MOREAU

Ça, c'est trop fort! Tu viens de soutenir...

LUCIENNE

Oui, oui, je me rappelle maintenant! C'est un manche d'argent avec une guirlande de marguerites.

MOREAU

Tu te fiches de moi, hein? Tu te fiches de moi!

LUCIENNE

Faut pas te fâcher, Moreau.

MOREAU

Tu l'as fait exprès!... pour le plaisir de m'infliger un démenti en présence d'un étranger. Et je sais pourquoi tu l'as fait exprès. C'est la colère qui t'a poussée, c'est la rage... la rage.

LUCIENNE

Pourquoi, la rage?

MOREAU

Parce que tu rages? Parce que le boucher t'a déçue. Tu te venges sur moi de la sottise...

LUCIENNE

Non, Moreau, sincèrement, le boucher ne m'a pas déçue. C'est tout juste l'homme qu'il me fallait.

MOREAU

Allons donc!... Tu en as plein le dos de ton Duxin, avoue-le.

LUCIENNE

Ne sois pas en souci.

MOREAU

C'est bon. Je n'abuserai pas de mon avantage. D'ailleurs, je comprends parfaitement que tu sois déjà lasse de Duxin, je l'avais prédit.

LUCIENNE

Je t'en prie, ne recommence pas. Comprends donc que tes bavardages me fatiguent. Je n'en peux plus!

MOREAU

Tu regrettes, Lucienne, et je ne te blâme pas. Au
fond, tu sais très bien que tu ne peux pas aimer un
autre homme que moi. (*Tendre.*) Ne dis pas non,
Lucienne.

LUCIENNE

Tu es fou!

MOREAU

J'oublierai tout, je pardonnerai. Vois-tu, quand j'ai
appris...

LUCIENNE

Tu m'embêtes, fiche-moi la paix.

MOREAU

Quand j'ai appris que tu me trompais avec Duxin,
j'étais presque soulagé. C'était une erreur, une minute
d'égarement...

LUCIENNE

Je te dis de me ficher la paix.

MOREAU

Ne t'entête pas, Lucienne, reconnais ton erreur. Je
pardonne déjà, je suis prêt...

LUCIENNE

Ah! non, tu es trop bête!

MOREAU

Notre amour aura passé par une épreuve. Il en sor-
tira grandi.

LUCIENNE

Idiot!

MOREAU

C'est pour nous une deuxième jeunesse qui va
commencer...

LUCIENNE

Parle pour toi.

MOREAU

Je pense à notre réconciliation, Lucienne. Si tu
veux, je fermerai le magasin pendant deux jours, pendant trois jours...

LUCIENNE

Non, je ne veux pas.

MOREAU

Nous partirons, Lucienne. Nous ferons un voyage de
trois jours, quand ça devrait coûter six cents francs!

LUCIENNE

Assez, Moreau, assez! D'ailleurs, je déteste qu'on
jette l'argent par les fenêtres.

MOREAU

Moi aussi, je déteste... mais tant pis! Nous pren-
drons des premières. Personne dans le compartiment.
Je te serre, je t'embrasse dans le cou, je t'embrasse sur
la bouche...

Il avance vers Lucienne qui le repousse.

LUCIENNE

Je t'en conjure, Moreau, ne dis plus de saletés.

MOREAU

A la fin, j'en ai assez! Je suis ton mari! Je me plaindrai! J'ai le droit d'exiger, tu m'entends, j'en ai le droit. Tu m'obéiras!

LUCIENNE

Si je devais obéir à quelqu'un...

MOREAU

Il n'y a pas de boucher qui tienne, tu m'appartiendras comme avant, tu es ma femme et tu seras ma femme quand ça me plaira, bon Dieu, à mon commandement!

LUCIENNE

Je te conseille de te taire.

MOREAU

Et tu m'appelleras ton chéri, comme avant, ton chéri, ton amour. Tu me l'as dit pendant dix-sept ans...

LUCIENNE

Je ne l'ai jamais dit, jamais!

MOREAU

Si! Tu me l'as dit mille fois. Tu ne t'en lassais pas, et tu rôdais autour de moi, et tu m'embrassais...

LUCIENNE

Moreau!

MOREAU

Je n'y faisais même pas attention. Je m'en foutais bien que tu m'embrasses! Comme je m'en fous aujour-

d'hui! Ah! tu ne marchandais pas tes agaceries! Toujours pendue après moi. Mon petit Moreau, mon petit
chéri, mon trésor...

LUCIENNE

Tu mens, sale mufle, tu inventes! Il n'y a rien de
vrai, rien, rien, rien...

MOREAU

Rien de vrai? Alors, ce n'est pas vrai...

LUCIENNE

Je ne veux pas écouter.

MOREAU

Pas vrai que certains après-midi...

LUCIENNE

Moreau, je te défends de continuer.

MOREAU

Quand je réparais mes pendules, tu venais me trouver dans l'arrière-boutique, tu étais toute pâle, les
dents serrées; tes mains tremblaient...

LUCIENNE

Mes mains... Ce n'est pas vrai, je le jure!

MOREAU

Je jure que si. Tu me faisais tes petites mines de
garce, tu prenais ta voix de garce. Tu me trouvais
beau, tu me le disais à chaque instant...

LUCIENNE

Elle fait un pas vers Moreau et d'une voix basse.

Tais-toi, je te le demande...

MOREAU

Folle de moi, tu étais! Puisque tu m'as épousé. C'est un mariage d'amour que tu as fait. A quarante-cinq ans, j'ai épousé une pucelle de dix-sept ans qui était plus riche que moi...

LUCIENNE

Tais-toi...

MOREAU

J'aurais mieux fait de la coucher au revers d'un talus et d'en rester là!

LUCIENNE

Moreau, prends garde. Tu ne sais pas ce que tu risques.

MOREAU

Te rappelles-tu? (*Il lui parle bas.*) Ha! ha! Tu n'avais pas besoin...

LUCIENNE

Goujat! Je te défends...

MOREAU, reculant.

Ecoute...

LUCIENNE

Goujat! Dégoûtant! Tu vas me payer ça.

MOREAU, effrayé.

Non, Lucienne!... Je... je m'en vais!

Il disparaît dans l'arrière-boutique.

Lucienne, en silence, range les services à découper dans les écrins.

MOREAU

Il passe la tête hors de la portière.

Te rappelles-tu aussi ce jour où tu me demandais pardon de m'avoir soupçonné? Tu sanglotais, tu criais que tu m'adorais. Ce que j'ai pu rire, après...

Il ricane et disparaît.

Lucienne, un couteau à découper dans la main, gagne l'arrière-boutique. On entend un cri de Moreau.

SCÈNE III

Lucienne revient dans la boutique, examine ses mains et se recoiffe devant la glace. Sonnerie du téléphone.

LUCIENNE

Allô! oui... Bonjour, madame Lesueur... Les enfants vont bien?... Chers petits!... Une montre de jeune fille? Nous avons la même avec des myosotis... Oh! charmant... Vous pouvez acheter en toute confiance... C'est entendu... Je vous en prie, madame Lesueur... Au revoir, madame Lesueur.

Lucienne raccroche le téléphone et achève de se recoiffer devant la glace. Duxin passe devant la boutique. Elle ouvre la porte et l'appelle à mi-voix.

LUCIENNE

Monsieur Duxin...

SCÈNE IV

Duxin entre avec précaution.

DUXIN, à mi-voix.

Seule?

LUCIENNE

J'ai peur. Ne m'abandonne pas.

DUXIN

Lucienne, qu'est-ce que tu as?

LUCIENNE

Viens près de moi, plus près. J'ai peur. (*Elle se colle contre lui.*) Défends-moi. Tu ne me serres pas. Boucher, tu trembles. Tu as peur aussi.

DUXIN

Oui, j'ai peur.

LUCIENNE

Je ne sais pas comment c'est arrivé. Je ne peux pas le croire.

DUXIN

Où est Moreau?

LUCIENNE

Il n'y a qu'à interroger les clients, les voisins, je suis connue dans la ville. Je n'ai jamais fait tort d'un sou à personne...

DUXIN

Où est Moreau?

LUCIENNE

On sait que je suis une honnête femme.

DUXIN

Je te demande où est Moreau.

LUCIENNE

Il est là, dans l'arrière-boutique... Non, n'y va pas, ne me laisse pas seule. J'ai peur... Reste près de moi...

DUXIN

Il se dégage et écarte la portière.

Oh! (*Il se signe. Lucienne se signe à son tour. Silence.*) Il n'est pas beau. Nom de nom!

LUCIENNE, bas.

Je ne l'ai pas fait exprès.

DUXIN, revenant auprès de Lucienne.

Ah! Lucienne, quel malheur!... Non, ce n'est pas possible!... Ah! l'autre jour, j'aurais dû t'obliger à partir avec moi. J'ai été trop faible, j'aurais dû t'obliger...

LUCIENNE

Oui, tu devais m'emmener, malgré moi... Maintenant...

DUXIN

Lucienne, je t'aiderai, je ne te quitterai pas...

LUCIENNE

Mais on va m'arrêter, moi!

DUXIN

Dire que nous aurions pu partir, si j'avais insisté.
Moi aussi, j'ai été coupable...

LUCIENNE

Oui, tu es coupable aussi. (*Plus bas.*) Ils vont venir,
ils vont m'arrêter.

DUXIN

N'aie pas peur, je leur dirai...

LUCIENNE

Qu'est-ce que tu leur diras? Toutes les apparences
nous accusent, tout est contre nous...

DUXIN

Comment, nous?...

LUCIENNE

Ils ne comprendront jamais que Moreau nous a pro-
voqués, qu'il nous a poussés à bout...

DUXIN

Tu vas un peu loin...

LUCIENNE

Ils n'admettront pas que c'est lui qui nous a mis
le couteau dans la main.

DUXIN

Mais je n'ai jamais eu de mauvaises intentions
contre Moreau, moi.

LUCIENNE

Moi non plus, je n'ai jamais eu de mauvaises intentions. Il est arrivé ce qui devait arriver, par sa faute.
Moreau a cherché toutes les occasions de nous exaspé-
rer, il nous a réduits à la violence par ses injures, par
ses manœuvres ignobles.

DUXIN

C'est vrai, il n'a pas toujours été convenable. D'un
autre côté...

LUCIENNE

Nous n'en pouvions plus, je te le disais tous les
jours. Toi aussi, tu me le disais...

DUXIN

Oh! moi, j'étais plutôt pour arranger les choses.

LUCIENNE

Hier encore, quand je t'ai répété ses paroles, tu es
entré dans une colère... tu voulais venir le trouver,
c'est moi qui t'ai calmé, une fois de plus...

DUXIN

Je sais bien, je sais bien, mais ce n'était pas grave.

LUCIENNE

Je te dis que nous n'en pouvions plus, ni l'un ni

l'autre. C'est moi qui ai frappé, ce pouvait être aussi bien toi.

DUXIN

Non, je n'aurais pas été jusque-là.

LUCIENNE

Tu étais pardonnable.

DUXIN

Quand même, je n'ai jamais été batailleur.

LUCIENNE

Rappelle-toi le jour où il t'a flanqué à la porte, parce qu'il avait décidé de nous humilier tous les deux. Rappelle-toi mon chagrin, et ta colère, à toi, ta colère...

DUXIN

Ma colère... je ne me rappelle pas. Il me semblait... Oh! bien sûr, j'ai pu avoir des mouvements d'impatience... Comme jeudi dernier, quand il est venu m'insulter à la boucherie...

LUCIENNE

Jeudi dernier?

DUXIN

Oui, jeudi dernier. Je ne t'en avais pas parlé, mais j'ai failli lui claquer la tête.

LUCIENNE

Tu vois bien, je n'invente pas. Et il s'en prenait

plus volontiers à moi, parce qu'il redoutait ton caractère emporté.

DUXIN

Emporté? Pas tant que ça... Pas tant que ça...

LUCIENNE

Il faut pourtant que tu le saches aujourd'hui : tous ses mensonges, toutes ses calomnies, ses sales injures qu'il n'osait pas te jeter à la face, c'est à moi qu'il les réservait.

DUXIN

Tu aurais dû m'avertir.

LUCIENNE

Mon pauvre ami, à quoi bon t'avertir? Je connaissais ta violence, ta fierté, je savais trop quel danger ce pouvait être pour Moreau. J'ai préféré souffrir en silence. Tu es comme moi, le mensonge te révolte. Tu es si bon, si généreux, si juste!

DUXIN

C'est pourtant la vérité. Je ne peux pas supporter les menteurs. Je dis les choses en face, moi.

LUCIENNE

Nous nous comprenons si bien...

DUXIN

Ça, on était fait l'un pour l'autre, et c'est pourquoi Moreau enrageait, il enrageait de nous voir tous les deux pareils, et il nous injuriait, il nous maltraitait jusqu'à nous faire perdre la tête!

LUCIENNE

Ah! comme tu vois clair, mon chéri!

DUXIN

Pardi! Nous n'étions méchants ni l'un ni l'autre, Lucienne. Nous ne sommes pas responsables. Moreau nous a poussés à bout, voilà tout.

LUCIENNE

Et si tu savais ce que j'ai souffert, si tu pouvais soupçonner l'enfer de mon existence pendant ces derniers mois... Mais non, tu ne pourras jamais l'imaginer. Mon pauvre chéri, c'était à cause de toi, je peux bien le dire à présent.

DUXIN

Et dire que j'étais heureux, moi. Ah! je peux dire que je regrette!...

LUCIENNE

Tout à l'heure encore, c'est ma tendresse et la fierté de mon amour qui m'ont jetée contre lui. Il a prononcé des paroles si odieuses que je n'ai pu contenir ma révolte. Je suis fière de toi, vois-tu, je t'aime si tendrement...

DUXIN

Lucienne, tu ne m'avais jamais parlé avec tant de confiance.

LUCIENNE

Je n'osais pas. Une honnête femme a des timidités qu'un homme ne comprend pas toujours.

DUXIN

Je suis bien heureux. Notre amour est si... enfin... Il aura fallu ce... cet accident...

LUCIENNE

Oui, il aura fallu cet accident pour mesurer la profondeur de notre amour.

DUXIN

C'est ça, la profondeur. Je n'aurais pas trouvé le mot.

LUCIENNE

Nous l'aurions peut-être toujours ignoré... Il est vrai que tu n'aurais pas connu non plus le calvaire de ma vie.

DUXIN

Mais pourquoi ne m'avoir pas dit... Voyons, Lucienne, j'aurais pu agir...

LUCIENNE

Va, j'étais encore heureuse de subir ses injures, ses brutalités... puisque c'était pour toi. Quand il me frappait...

DUXIN

Quoi? Quand il te frappait! Ah! le cochon!... Si je l'avais su, bon Dieu!...

LUCIENNE

Ne te fâche pas, mon chéri. Tu vois comme tu t'emportes facilement...

DUXIN

Le cochon!... Quand je pense à tout ce qu'il t'a fait endurer...

LUCIENNE

N'y pense plus, va, oublie...

DUXIN

Le salaud!... Quand je pense, Lucienne, quand je pense... Tiens, je dis que nous avons fait acte de justice!

LUCIENNE

Oh!

DUXIN

Parfaitement, de justice. Et je n'ai pas besoin de te dire que je prends ma part des responsabilités. Tu m'entends bien, je réclame part égale. Je serai le complice, comme ils disent.

Long silence.

LUCIENNE, secouant la tête.

Non, mon ami, non, ce serait stupide, et tellement inutile...

DUXIN

Lucienne, tu ne peux pas refuser...

LUCIENNE

Je répète que ce serait une folie. Pourquoi sacrifier deux existences, deux réputations?

DUXIN

Mais puisque, moi aussi, je suis responsable...

LUCIENNE

Nous n'avons pas le droit de perdre deux êtres. Soyons courageux. Il faut que l'un de nous se dévoue... Il faut que l'un de nous écrive au commissaire : « C'est moi qui suis le coupable, c'est moi qui ai frappé, moi seul. »

DUXIN

Non, c'est trop grave, Lucienne, je... je ne peux pas...

LUCIENNE

Comprends-tu, mon chéri, pourquoi je n'accepte pas ton dévouement. Tu n'es pas assez fort...

DUXIN

Tu ne vois pas toutes les conséquences... non... laisse-moi ma part...

LUCIENNE

C'est moi qui me sacrifierai. Cela vaudra mieux. J'aurai souffert jusqu'au bout, j'aurai porté pour tous les deux la peine de notre amour. Tu essaieras de refaire ta vie, et moi, dans ma prison, je penserai aux belles journées d'autrefois, à nos matins...

DUXIN

Il arpente le magasin, puis s'arrête et frappe du poing
sur le comptoir.

Non, Lucienne, je ne peux pas accepter! Puisqu'il
ne peut y avoir qu'un coupable... ce sera moi. Tant
pis! Pour moi la prison, pour moi les juges, pour
moi...

LUCIENNE

Elle le serre dans ses bras.

Je ne veux pas. J'aurais trop de chagrin. Après tout
ce que j'ai déjà souffert...

DUXIN

Il se dégage et s'assied au comptoir.

Allons, c'est dit.

LUCIENNE

Qu'est-ce que tu fais?

DUXIN

J'écris au commissaire de police pour me dénoncer.

LUCIENNE

Non, réfléchis... Je serai si malheureuse...

DUXIN

A quelle heure est-ce que Moreau?...

LUCIENNE, soupirant.

Mets quatre heures moins dix. Tu diras que je
venais de monter chez nous. N'oublie pas non plus de
dire qu'il t'avait provoqué, menacé...

DUXIN

Oui, oui... (*Il prend la plume.*) Ce pauvre Moreau, tout de même...

LUCIENNE

Tu n'auras pas la force de supporter une pareille épreuve. Laisse-moi faire, les femmes sont souvent plus courageuses que les hommes. (*Soupirant.*) Peut-être parce que leur amour est plus sincère, plus désintéressé... Laisse-moi, je te dis que tu n'auras pas le courage...

DUXIN

Je n'ai pas peur...

LUCIENNE

Ce n'est pas ce que je veux dire. Tu es si bon, tu es si généreux...

DUXIN

Il lâche la plume.

Lucienne... J'ai peur... J'ai peur...

LUCIENNE

Elle lui passe un bras autour du cou.

. Mon pauvre chéri, je suis là, moi. Je ne te quitte pas, je te soutiendrai de toutes mes forces, de tout mon amour. (*Elle lui met la plume à la main.*) Veux-tu que je te dicte la lettre?

DUXIN

Oui, dicte-moi... Je ne pourrais pas...

LUCIENNE

Ecris : Monsieur le Commissaire. (*Elle dicte à voix basse. On entend :*) Une querelle... Moreau... menaces... un couteau... parti... (*Elle ferme la lettre.*) Je vais la mettre dans la boîte du commissariat. Personne ne saura qui l'a apportée.

DUXIN

Reviens vite, Lucienne, ne me laisse pas seul avec le mort.

> Lucienne sort. Duxin vient s'asseoir sur une chaise au milieu de la boutique.

SCÈNE V

DUXIN, après un silence.

Il a dû mourir d'un seul coup, sa main droite serre encore un tournevis. Et comme il a eu peur, bon Dieu, les yeux lui sortent de la tête. Pourtant pas mauvais diable, ce Moreau.

N'empêche, c'est moi qui vais payer. Je vois d'ici les journaux : le crime du boucher, un paisible bijoutier est assassiné dans sa boutique. J'entends déjà brailler le procureur : « Il a frappé comme une brute, avec son expérience de boucher. » Ah! il va avoir une belle occasion d'ouvrir sa gueule, celui-là! « Un boucher, qu'il dira, ce n'est pas étonnant, il a tué par

habitude. » Je vous demande un peu, par habitude!
Moi qui ai toujours été doux comme un bœuf de
quatre ans...

Mais quoi, on ne pouvait pas la laisser partir entre
deux gendarmes. Les femmes, ce n'est pas fort. Elles
sont comme des enfants, pas plus fortes que des
enfants. Otez-leur la boîte à poudre, le rouge à lèvre,
et les voilà qui ne savent plus quelle heure il est. Les
femmes. Le cœur leur mollit tout de suite, à propos de
rien, et les voilà qui pleurent et qui font marcher la
poitrine. C'est pour ça qu'on ne peut guère les mettre
en prison...

Entre Madeleine.

Scène VI

MADELEINE

C'est vous qui gardez la boutique, maintenant?

DUXIN

Je garde la boutique... Oui, je garde la boutique.

MADELEINE

De mieux en mieux.

DUXIN

Quoi?

MADELEINE

Rien... rien... Maman n'est pas là?

DUXIN

Elle est allée faire une course.

MADELEINE

Mon père n'est pas là non plus?

DUXIN

Un temps d'hésitation.

Il est sorti aussi.

MADELEINE

Eh bien, tant pis! Après tout, c'est peut-être mieux.
Je m'en vais... (*Silence.*) Je m'en vais, monsieur Duxin.

DUXIN

Bon.

MADELEINE

Vous faites une drôle de tête.

DUXIN

Une drôle de tête... Je crois bien...

MADELEINE

Vous avez des ennuis avec mon père?

DUXIN

Oh! des ennuis... Oui, bien sûr...

MADELEINE

Vous ne l'avez pas volé. (*Surpris, Duxin la regarde*

et baisse les yeux.) Mes paroles ont l'air de vous éton-
ner. Vous me preniez pour une imbécile? (*Geste de
protestation de Duxin.*) Mais non, vous pensiez simplement que j'étais une jeune fille trop bien élevée
pour oser remarquer ce qui ne devait pas l'être. Vous
aviez presque raison. Longtemps, je n'ai pas voulu
voir jusqu'au jour où votre sans-gêne m'y a obligé.

DUXIN

Mon sans-gêne... si on peut dire! Moi qui ne savais
pas où me mettre...

MADELEINE

Je n'étais pas fière de ce qui se passait à la maison,
mais je ne pouvais pas me plaindre. Une jeune fille
n'est pas censée savoir ce qu'il y a derrière le mot
« amants ». Je n'avais qu'à me taire. En somme,
j'étais votre complice, et c'est bien ce que vous vou-
liez, n'est-ce pas? (*Silence.*) Vous ne dites rien, monsieur Duxin...

DUXIN, irrité.

Qu'est-ce que vous voulez que je dise? Que je suis
un sale individu, une brute, un coupeur de viande?
Bon, c'est entendu, et vous n'avez pas fini de le répéter... Vous me détestez déjà... Tant mieux! J'aime
mieux ça.

MADELEINE

Vous êtes méchant. Vous n'avez pas mérité d'avoir
un fils comme Alfred.

DUXIN

Allez-y. Remettez-en.

MADELEINE

Vous regretterez... vous.

Elle pleure.

DUXIN

Vous voilà bien avancée... Allons...

Entre Alfred.

SCÈNE VII

ALFRED

Qu'est-ce qui se passe? (*A Duxin.*) Qu'est-ce que tu lui as dit?

DUXIN

Moi? Mais rien du tout.

ALFRED, à Madeleine.

Tes parents ne sont pas là? (*Madeleine fait signe que non. Il la prend par le cou et, après lui avoir parlé à l'oreille, la pousse vers la porte.*) Je te rejoins tout de suite.

Madeleine sort.

ALFRED, agressif.

Qu'est-ce que tu lui as dit?

DUXIN, agacé.

Mais rien!

ALFRED

Et d'abord, qu'est-ce que tu fous là?

DUXIN

Quoi? Dis donc, espèce de morveux, je suis encore
ton père! Si je te flanquais une paire de claques...
Mais, non, à quoi bon me fâcher? Tu as tous les droits.
Va, tu peux me traiter de haut en bas. Je ne suis plus
ton père.

ALFRED

Pourquoi plus mon père?

DUXIN

Silence.

Tu aimes toujours Madeleine?

ALFRED

Ne t'occupe pas de Madeleine.

DUXIN

C'est bien ce que je disais. Je ne suis plus rien.

ALFRED

J'ai cru un moment que tu étais pour nous. Et puis
j'ai compris. Tu avais autre chose en tête.

DUXIN

Ne crois pas ça...

ALFRED

Mme Moreau ne veut pas entendre parler d'un garçon boucher pour Madeleine. Au moins, elle sait ce qu'elle veut pour sa fille. Mais toi... je peux bien épouser la grand-mère du boulanger...

DUXIN

Alfred, ne sois pas si dur.

ALFRED

Tiens, la voilà, ta Mme Moreau. Je fous le camp. Adieu.

Alfred gagne la porte et s'efface pour laisser entrer Lucienne.

ALFRED

Madame. Pardon.

SCÈNE VIII

LUCIENNE

Tu l'as mis au courant?

DUXIN

Ah! non, merci.

LUCIENNE

Il aurait peut-être mieux valu l'avertir.

DUXIN

Il le saura toujours assez tôt. Quand je pense que quelqu'un, peut-être le commissaire, peut-être toi, va lui dire que son père est un assassin, qu'il a tué un homme d'un coup de couteau...

LUCIENNE

Que veux-tu, chacun porte sa croix... Dire qu'il va falloir prévenir Madeleine... Quel coup pour cette pauvre petite... une enfant si sensible... Quand elle apprendra que tu as tué son père...

DUXIN

Tu vas lui dire que c'est moi?

LUCIENNE

Comment faire autrement?

DUXIN

Bien sûr... Ah! c'est à devenir fou!

LUCIENNE

Oui, c'est une épreuve douloureuse, il nous faudra du courage. Vois-tu, c'est encore toi qui as la meilleure part. Songe à ce que la vie va devenir pour moi...

DUXIN

Si au moins j'avais l'assurance de revenir... même dans trois ans, Lucienne, même dans cinq ans... Ce serait le recommencement.

LUCIENNE

Oh! oui, même dans dix, même dans vingt...

DUXIN

L'espoir de te retrouver un jour m'aidera à suppor-

ter la prison. Le souvenir de ces derniers mois, aussi...
(*Il l'attire contre lui.*) Tout à l'heure, Lucienne, tu
m'as parlé si tendrement...

LUCIENNE
Elle se dégage.

Ne m'embrasse pas ici, voyons... Quelqu'un peut
nous voir, un client nous surprendre...

DUXIN
Tu m'as dit des paroles si confiantes...

LUCIENNE
Et puis, tout de même, à côté du cadavre... ce serait
indécent. Tu devrais comprendre...

DUXIN
Tout à l'heure, pourtant...

LUCIENNE
D'ailleurs, nous n'avons pas une minute à perdre.
Le commissaire va arriver, nous devons être prêts. Il
faut pouvoir exposer sans erreur les circonstances de
ton crime.

DUXIN
Mon crime... Tu dirais notre crime...

LUCIENNE
C'est bien le moment d'être susceptible!

DUXIN
Ne t'énerve pas.

LUCIENNE

Donc, tu es venu ici à quatre heures moins le quart parler de réparations à mon mari. A ce moment-là, je suis sortie par l'arrière-boutique pour monter au premier étage. Tu en as profité...

DUXIN

Profité? Tu as bientôt fait d'arranger les choses...

LUCIENNE

Enfin, tu t'es querellé avec Moreau, toujours à propos des réparations. Tu diras bien que ce n'était pas la première querelle. D'ailleurs, je serai là.

DUXIN

Oui, toi au moins, tu ne perds pas la tête.

LUCIENNE

Moreau a été violent, il t'a menacé, tu as pris un couteau dans un écrin, tu l'as frappé dans l'arrière-boutique, et tu es rentré à la boucherie. Tu vois, ce n'est pas compliqué.

DUXIN

Oh! non, ce n'est pas compliqué. Ça va tout seul.

LUCIENNE

Ensuite, tu es revenu rôder sur le lieu du crime. C'est là que je t'ai trouvé en rentrant. Mon Dieu, une chose à laquelle je n'ai pas songé. Si Alfred affirme que tu n'as quitté la boucherie qu'une seule fois?

DUXIN

C'est encore une chance, je suis justement sorti pour aller pisser dans la cour.

LUCIENNE

Vraiment tu as une façon de parler... Enfin, c'est tout de même une chance que tu sois sorti...

DUXIN, amer.

Je te le disais.

LUCIENNE

Oh! n'exagérons rien. Alfred est ton fils, il ne peut être qu'un témoin à charge.

DUXIN

Allons, tant mieux... Ce qui me rassure un peu, malgré tout, c'est qu'aux assises, le crime passionnel est plutôt bien vu...

LUCIENNE

Comment, le crime passionnel? Qu'est-ce que tu veux dire, avec ton crime passionnel? Tu ne prétends pas faire état de nos relations intimes devant le tribunal?

DUXIN

Il me semble pourtant...

LUCIENNE

Mais ce serait odieux, ce serait une trahison... Tu es un galant homme...

DUXIN

Un galant homme... C'est bien joli d'être un galant homme...

LUCIENNE

Puisque nous sommes convenus qu'il y aurait un seul coupable, tu ne vas pas me rendre complice aux yeux des juges, me salir devant toute la ville?

DUXIN

Mais enfin, moi, je risque ma tête...

LUCIENNE

Ah! si je m'étais dénoncée, moi, la question ne se poserait pas. Je montrerais plus de fermeté.

DUXIN

Moi, je tiens à ma peau. J'y tiens plus qu'à ta réputation. Et si tu m'aimais...

LUCIENNE

Quand j'ai cédé à tes instances, quand j'ai consenti à devenir ta maîtresse, je me suis remise à ta discrétion. Je ne pensais pas qu'un jour tu te servirais de notre amour contre moi.

DUXIN

Mais je ne me sers pas de notre amour...

LUCIENNE, aigre.

Non, au contraire... Et encore, s'il ne s'agissait que de moi, mais il y a Madeleine.

DUXIN, après un silence.

C'est bon, n'en parlons plus.

LUCIENNE

Mon chéri. C'est juré?

DUXIN, mollement.

C'est juré... Au moins, laisse-moi dire au juge que j'étais amoureux, qu'à plusieurs reprises tu m'as envoyé promener. Le mobile du crime serait tout de même la jalousie.

LUCIENNE

Mais non! Mais non! ce serait suspect, on imaginera... tu sais combien les gens sont malveillants. Nos ennemis seraient trop heureux de saisir l'occasion d'un scandale et de nous traîner dans la boue.

DUXIN

C'est donc si salissant d'être aimée par un boucher?

LUCIENNE

Je resterais la cause de ton crime, je serais la femme que deux hommes se sont disputée. Non, ne dis rien. Tu as juré, n'essaie pas de te dérober.

DUXIN

Au point où j'en suis, et puisque tu y tiens... Je dirai aux juges que j'ai assassiné Moreau par distraction, histoire de passer un moment.

LUCIENNE

Tu as des plaisanteries qui ne sont guère de saison.

Si tu avais un peu plus de cœur, tu ne chercherais pas
à me faire de la peine dans un moment aussi cruel.

DUXIN

Allons, il ne faut pas te laisser aller au décourage-
ment...

LUCIENNE

Quand je pense à toutes les corvées... la cérémonie...
les parents, les amis, les condoléances...

DUXIN

Notre séparation aussi...

LUCIENNE

Oui, le déchirement... Après ce sera l'instruction, le
procès. Il me faudra choisir un avocat.

DUXIN

Un avocat? Qu'est-ce que tu feras d'un avocat?

LUCIENNE

Il faut bien que je me porte partie civile. Je vais
être obligée de te réclamer des dommages-intérêts.

DUXIN

On ne va tout de même pas t'accorder des dommages-intérêts, j'imagine.

LUCIENNE

Pourquoi veux-tu qu'on me refuse des dommages-
intérêts? Pour les juges, il ne peut pas y avoir de meilleure cause que la mienne.

DUXIN

Oui, oui, je comprends...

LUCIENNE

Tu peux être sûre que j'en suis plus ennuyée que toi. C'est si peu logique au fond...

DUXIN

Et tu vas réclamer combien?

LUCIENNE

Je ne sais pas. Le moins possible, naturellement. Mais pour les convenances, il me faudra tout de même prétendre à un minimum. Peut-être deux cent mille, peut-être davantage. Mon avocat me conseillera.

DUXIN

Ça, c'est le plus beau de l'affaire. Des dommages-intérêts. Tu ne vas pas non plus leur réclamer ma tête?

LUCIENNE

Je t'en prie, tu as le beau rôle, n'en abuse pas. C'est vraiment trop facile.

DUXIN

Tout à l'heure, quand tes ongles s'accrochaient à mon cou, tu ne disais pas que c'était facile... Maintenant, tu trouves naturel qu'un honnête homme aille se faire condamner à ta place.

LUCIENNE

Si tu me le reproches déjà...

DUXIN

Deux cent mille francs? Tu n'y vas pas avec le dos de la cuiller. Mais j'entends que cet argent-là ne sorte pas de la famille. J'ai toujours souhaité de voir Alfred épouser ta fille. Ce mariage-là, je veux qu'il se fasse.

LUCIENNE

Madeleine ne peut pas épouser le fils du meurtrier de son père.

DUXIN

Tu veux dire qu'Alfred épouserait la fille d'une criminelle.

LUCIENNE

Ne jouons pas sur les mots. Pareil mariage serait un scandale, une abomination, un défi.

DUXIN

Vous quitterez la ville.

LUCIENNE

D'ailleurs, mon mari s'y est toujours formellement opposé.

DUXIN

Ne parle pas de ton mari.

LUCIENNE

Même si nous quittions la ville, ce serait impossible. Madeleine ne voudrait plus épouser Alfred maintenant.

DUXIN

Tu lui expliqueras ce que j'ai fait pour toi.

LUCIENNE

Non, je ne pourrais pas.

DUXIN

Tu lui diras que c'est toi qui as tué d'un coup de couteau.

LUCIENNE

Ne parlons plus de ce mariage, tu sais qu'il est impossible.

DUXIN

Je m'en fous, arrange-toi. Je veux qu'il se fasse. Je l'exige.

LUCIENNE

Oh! tu l'exiges!

DUXIN

Ou je refuse de me laisser condamner à ta place.

LUCIENNE

Allons, ne nous fâchons pas. J'aurais beaucoup de peine...

DUXIN

Assez de boniments.

LUCIENNE

Songe que le commissaire va arriver d'un moment à l'autre. Ce soir, tu seras en prison.

DUXIN

Si je veux!

LUCIENNE

Mon pauvre ami, tu t'imposes un lourd sacrifice...
Je comprends tes hésitations, mais à présent, il est trop
tard pour reculer.

DUXIN

Trop tard?

LUCIENNE

Tout à l'heure, si tu avais été plus confiant, je n'aurais pas accepté ton sacrifice... à présent, il est trop
tard.

DUXIN

Trop tard...

LUCIENNE

Tu ne peux plus revenir sur tes aveux écrits. Quand
même je voudrais prendre ta place, je ne le pourrais
plus, on ne me croirait pas. Ta lettre au commissaire
serait un démenti sans appel. Tu appartiens à la justice.

DUXIN, après un silence.

Ah! tu peux dire que tu as été joliment forte. Tu
connaissais ton Duxin. En cinq minutes, son compte a
été réglé, et il n'y a pas eu une larme par terre.

LUCIENNE

Je ne veux pas que tu sois en colère. Quand le commissaire sera là...

DUXIN

Oh! tu n'as pas à avoir peur, je n'essaierai pas de me
venger. Tout à l'heure, je faisais bon marché de ta

réputation, maintenant j'en connais le prix. Va, les juges n'en sauront rien.

LUCIENNE

Tu as juré.

DUXIN

Tu resteras une femme honnête... Et moi, j'aurai la consolation d'avoir été un galant homme... Je ne pouvais pas moins faire. (*Il rit.*) Tu es si belle... (*Il fait un pas vers Lucienne qui recule.*) Viens près de moi, viens passer tes bras autour de mon cou... Viendras-tu, nom de Dieu!

LUCIENNE

Laisse... on peut nous voir... si quelqu'un...

DUXIN

Contre moi, comme ce matin dans le lit du vieux!

LUCIENNE

Le commissaire va venir. Il devrait être là...

DUXIN

Viens! (*Il la saisit par le bras l'attire violemment contre lui.*) Et tu seras belle, pour ma dernière minute de liberté. Tiens, mets tes bracelets.

Il prend quelques bracelets dans la vitrine.

LUCIENNE

Lâche-moi... lâche-moi!

DUXIN

Mets tes bracelets, je te dis, tous tes bracelets... (*De*

force, il lui passe les bracelets aux bras.) Comme il est fort, ton boucher, hein?

LUCIENNE

Assez... lâche-moi...

DUXIN

Tu es cent fois plus belle que là-haut, le matin...

LUCIENNE

Tu me fais mal...

DUXIN

Quand tu rejinguais sur le matelas du vieux.

LUCIENNE

Brute! Sale brute!

DUXIN

Encore un bracelet! S'il t'écorche la peau, tu n'as qu'à gueuler.

LUCIENNE

Assassin!

DUXIN

Il la repousse brutalement vers l'arrière-boutique.

Va-t'en! Va réchauffer ton mort dans tes bras de putain qui me caressaient tout à l'heure, quand il fallait sauver ta peau.

LUCIENNE

Assassin! boucher! boucher!

DUXIN

Va dire à Moreau que c'est le boucher qui lui a poussé son couteau dans les tripes, il te croira... Tes mensonges font si chaud!... Putain!

Il lui jette un bracelet.

LUCIENNE

En prison... en prison! Les juges, la cour, le verdict, la prison, le bagne... le bagne! pour toi, boucher, pour toi! Il n'y a personne qui puisse te sauver! Perdu sans espoir! perdu aussi, Alfred... perdu, le fils de l'assassin! Et moi, je reste là pour en jouir dans mes bracelets d'or. Les journaux... les assises... Perdus, vous êtes tous perdus...

Elle parle bas. On ne voit que le mouvement des lèvres.

DUXIN

Il se laisse tomber sur une chaise.

Perdu, je me suis perdu pour une garce.

LUCIENNE

Tout à l'heure, ils te passeront les menottes.

DUXIN

Fini de ma vie... Fini de la boucherie où je travail-lais avec mon Alfred, heureux comme un homme qui fait son travail sans rien demander à personne. J'étais pourtant un boucher tranquille, honnête, un boucher qui savait son métier, qui vous connaissait son affaire et les aléas de la vente. Qui n'allait pas se trouver en

semaine sainte avec trois bœufs dépouillés sur les bras.
Qui tuait juste ce qu'il fallait tuer. Un boucher qui
connaissait la clientèle, qui n'avait pas son pareil pour
évaluer une bête, et qui n'achetait pas dans un sac. Un
vrai boucher qui vendait de la belle viande, comme
s'il était dedans, sans jamais tromper son monde...

LUCIENNE
Tu partiras entre deux gendarmes.

DUXIN
Vrai boucher, vrai homme. Il fallait nous voir partir au grand matin, à l'heure où il n'y a dans les rues
que les gens qui travaillent. Tout le monde nous connaissait, c'était toujours une politesse d'un côté, une
politesse de l'autre. Les gens disaient : c'est Duxin
qui s'en va aux abattoirs avec son garçon. Ils disaient
ça, avec la manière qu'on a, quand on est content de
voir un vrai boucher, un honnête homme qui s'en va
aux abattoirs avec son garçon.

LUCIENNE
Les gens de la rue te regarderont partir.

DUXIN
Vrai boucher. Vrai homme. On n'en craignait point,
nous autres, ni pour la besogne, ni pour rire un coup
quand il fallait rire, ni pour donner la main à un
maladroit ou à un garçon qui avait la mauvaise
chance. Tous les amis n'auraient pas tenu dans la boucherie, bien sûr... (*Il s'approche de Lucienne.*)

Lucienne, je te le demande encore une fois. Les enfants...

LUCIENNE

Non. Je t'ai dit non.

DUXIN

Tout à l'heure, tu me suppliais.

LUCIENNE

N'insiste pas.

DUXIN

Et si je t'envoyais rejoindre Moreau pendant que j'y suis? Si je t'assassinais pour débarrasser les honnêtes gens.

LUCIENNE

Avec toi, je suis tranquille. Tu es un brave homme, toi.

DUXIN

Vache.

Long silence.

SCÈNE IX

Entre le commissaire de police, suivi de deux agents.

LE COMMISSAIRE

Mes condoléances, madame Moreau.

LUCIENNE

Ah! monsieur le commissaire, quel malheur! (*Elle cache son visage dans son mouchoir.*) Un homme si bon...

LE COMMISSAIRE

Du courage, madame Moreau, du courage. Vous avez encore à passer par de rudes épreuves... (*A Duxin.*) Alors, monsieur Duxin, qu'est-ce qui vous arrive? Vous avez tué ce pauvre M. Moreau?

DUXIN

Mon Dieu! oui. Ça ne vous étonne pas, hein? De la part d'un boucher, il fallait s'y attendre.

LE COMMISSAIRE

Pas forcément. Mais qu'est-ce qui s'est passé, au juste?

DUXIN

Un coup de couteau... On s'est engueulé... Il m'a traité de coupeur de viande...

LE COMMISSAIRE

Ce n'est pas une injure bien grave.

DUXIN

Vous trouvez? Moi, ça m'a mis en colère. J'avais mon couteau à la main... mon couteau de boucher, pardi... Alors, l'habitude, n'est-ce pas? Je lui ai planté ma lame en plein cœur.

LE COMMISSAIRE

Il est là? (*Il écarte la tenture. Silence.*) Il est mort aussitôt?

DUXIN

C'est-à-dire... (*Regard à Lucienne.*) Oui, aussitôt. Pas le temps de dire ouf.

LE COMMISSAIRE

Pourquoi étiez-vous venu le trouver ici?

DUXIN

Pourquoi?

Silence.

LUCIENNE

Mon mari se querellait très souvent avec l'assassin, et tout à l'heure...

LE COMMISSAIRE

Laissez parler M. Duxin.

DUXIN

C'est vrai, M. Moreau ne pouvait pas me supporter. Chaque fois que je le rencontrais, on avait des mots. On en était même venu à s'engueuler de porte à porte. Remarquez que ce n'est jamais moi qui ai commencé.

LE COMMISSAIRE

En somme, si je comprends bien, vous étiez sur le seuil de la boucherie quand M. Moreau vous a interpellé. Vous veniez de couper de la viande, vous aviez encore votre couteau à la main. Vous êtes venu le trouver, la dispute s'est envenimée...

DUXIN

Oui, c'est bien ça. Mais quand je suis entré avec mon couteau, je n'avais encore l'idée de rien.

LE COMMISSAIRE

Vous avez eu un geste malheureux. Il n'en faut pas plus pour devenir un assassin.

DUXIN

Oui, un assassin... C'est pourtant vrai, je n'y pense pas assez. Je suis devenu un assassin. Ah! misère de misère! (*Montrant la tenture.*) Pourquoi n'est-ce pas moi qui suis là, au lieu de l'autre...

LE COMMISSAIRE

Allons, allons, ne vous désolez pas, monsieur Duxin, tout ça s'arrangera. C'est entendu, vous avez tué M. Moreau, mais vous pouvez très bien vous tirer d'affaire. Après tout, il ne s'agit que d'un crime passionnel.

LUCIENNE

Comment, un crime passionnel? Que voulez-vous dire?

LE COMMISSAIRE

Je veux dire que M. Duxin était votre amant et que MM. les jurés ne manqueront pas d'en tenir compte.

LUCIENNE

Mais c'est absurde, commissaire. Je vous jure qu'entre M. Duxin et moi, il n'y a jamais rien eu, absolument rien! Du reste, il vous le dira lui-même!

DUXIN

Bien sûr, ça ne tient pas debout... Surtout que moi, les femmes, j'en suis bien revenu...

LUCIENNE

Je ne comprends pas, commissaire, comment vous pouvez tenir de pareils propos sur le compte d'une femme irréprochable.

LE COMMISSAIRE

Vous avez l'air d'ignorer que depuis deux mois, vos amours sont la fable de toute la ville.

LUCIENNE, balbutiant.

C'est abominable. Je vous jure...

LE COMMISSAIRE

Notez que pour ma part, j'ai été informé par une personne digne de foi. Tous les soirs, je faisais ma partie de cartes avec M. Moreau et je recevais ses confidences... Ce pauvre Moreau... Il me disait qu'il avait peur de sa femme et qu'un jour ou l'autre, elle finirait par le tuer. Il a dû être bien surpris quand le boucher l'a frappé... Vous paraissez contrariée...

LUCIENNE

Non, mais non... Excusez-moi, je vais retrouver ma fille. Elle ne sait rien encore.

LE COMMISSAIRE

Je vous demande encore quelques instants. J'ai besoin de votre présence pour certaines formalités.

Quant à mademoiselle votre fille, j'ai là une lettre...
(*A Duxin.*) Je l'ai trouvée sur le comptoir de la boucherie et comme elle vous était adressée, j'en ai pris
connaissance. Votre fils Alfred vous informe qu'il est
parti avec la fille de M. Moreau.

LUCIENNE
Parti?

LE COMMISSAIRE
Madeleine et moi, écrit-il, *on n'en pouvait plus. On
avait besoin d'un coup d'air pur.*

DUXIN
Ils ont bien fait. Ce n'est pas moi qui leur ferai des
reproches.

LUCIENNE
Je ne me méfiais pas assez de ce jeune voyou. Commissaire, il n'y a pas une minute à perdre. Il faut absolument les rattraper.

LE COMMISSAIRE
Croyez-vous?

LUCIENNE, troublée.
Comment?

LE COMMISSAIRE
Votre fille a la chance d'être aimée par le fils d'un
brave homme... (*Silence.*) Vous ne protestez pas?

LUCIENNE
Mais je crois...

LE COMMISSAIRE

Là au poignet, vous avez une tache de sang. (*Mouvement de Lucienne.*) Non, je m'étais trompé... (*Riant.*) Ce n'est rien... Dites-moi, monsieur Duxin, où diable avez-vous mis votre couteau de boucher? Je ne le vois nulle part.

DUXIN

Mon couteau? Mais je l'ai laissé...

LUCIENNE

M. Duxin l'avait laissé chez lui. En réalité, c'est avec un de nos couteaux qu'il a frappé.

LE COMMISSAIRE

Vous étiez là?

LUCIENNE

Non, j'étais sortie.

LE COMMISSAIRE

Et vous venez de rentrer?

LUCIENNE

A l'instant.

LE COMMISSAIRE

Et c'est en rentrant que vous avez découvert le crime?

LUCIENNE

Oui.

LE COMMISSAIRE

Pourtant, c'est vous qui avez porté la lettre d'aveux de M. Duxin à la boîte du commissariat.

LUCIENNE

Moi?

LE COMMISSAIRE

Un de mes agents vous a vue la glisser dans la boîte. (*Silence.*) Monsieur Duxin, êtes-vous bien sûr d'être l'assassin de M. Moreau?

DUXIN

Puisque je vous l'ai dit.

LE COMMISSAIRE, à Lucienne.

Qu'en pensez-vous? (*Silence.*) Je vous ennuie, hein? Passons... Tout ça est d'ailleurs sans importance. Nous allons relever les empreintes digitales sur le manche du couteau et dans un moment, nous saurons qui est l'assassin. (*Lucienne fait un pas vers la tenture. Le commissaire lui barre le passage.*) Leroi, par ici... ne laissez approcher personne. (*L'agent se place devant la tenture.*) Hier soir, M. Moreau m'a beaucoup parlé de vous... Il était plus calme que d'habitude... un peu découragé aussi, un peu abattu... On aurait cru qu'il sentait venir la fin... Il me disait, en parlant de vous : « Elle connaît mieux les autres qu'elle ne se connaît elle-même. » Pauvre Moreau... Il me disait aussi...

LUCIENNE

Assez, assez!

SCÈNE X

Entre Mlle Vorbe. Un agent tente de la faire sortir.

L'AGENT
On n'entre pas.

Mlle VORBE
Comment, on n'entre pas? Mais moi, je viens chercher...

L'AGENT
Je vous dis...

Mlle VORBE
Je vous dis que je viens chercher ma montre.

L'AGENT
S'agit pas de ça.

Mlle VORBE
Vous n'allez pas m'empêcher de prendre ma montre,
tout de même. Madame Moreau!... Madame Moreau!

LUCIENNE
Bonjour, mademoiselle Vorbe.

Mlle VORBE
Mais qu'est-ce qui se passe, madame Moreau? Je
viens prendre ma montre et on me dit...

LUCIENNE

Calmez-vous, mademoiselle Vorbe. Pour votre
montre, il n'est pas possible de vous la donner aujour-
d'hui.

Mlle VORBE

M. Moreau m'avait promis...

LUCIENNE

Oui, mais M. Moreau est mort .

Mlle VORBE

Mort? Ah! madame Moreau, quel malheur! Je ne
peux pas y croire! Quelqu'un de si bien! Un homme
distingué, agréable, qui avait de la conversation et qui
s'entendait aux affaires comme personne! Mourir à son
âge, ça ne devrait pas être permis. C'est qu'il était
jeune! Pensez donc, il avait à peine cinq ans de plus
que moi! Mais enfin, madame Moreau, qu'est-ce qui
lui est arrivé?

LUCIENNE

C'est moi qui l'ai assassiné.

Mlle VORBE, poussant un cri.

Oh!

LUCIENNE

Je l'ai tué d'un coup de couteau.

Mlle VORBE

Nouveau cri.

Oh!

LUCIENNE

En plein cœur.

Mlle VORBE
Même jeu.

Oh!

LUCIENNE

C'est affreux, n'est-ce pas?

Mlle VORBE

Je n'en reviens pas... Vous, madame Moreau, vous...
Ah! je vois ce que c'est... (*Baissant la voix.*) Encore
une histoire d'amour, hein? dites, madame Moreau,
une histoire d'amour? Il y a un homme là-dessous.
C'est lui, c'est le boucher, hein?

LUCIENNE

Un homme superbe, n'est-ce pas? Voyez comme il est
bâti. Regardez ces mains, ces épaules... et ce torse...
Touchez... Mais si, là, touchez... (*Elle prend la main de
Mlle Vorbe qui touche le torse de Duxin et pousse un
léger cri.*) Quelle bête magnifique, hein?

Mlle VORBE

Ah! ce contact... que c'est donc dégoûtant... Mais je
m'en doutais. Je m'en suis toujours doutée!

LUCIENNE

Vous voilà tout émue, mademoiselle Vorbe. Alors,
vous pensez que l'amour d'un bel homme tel que
Duxin peut conduire une femme au crime? C'est pos-

sible... Mais moi, je ne peux pas croire que cet imbécile ait changé grand-chose à mon destin.

Mlle VORBE

Vous n'avez donc pas pensé à ce que les gens allaient
dire?

LUCIENNE

J'y pensais justement beaucoup, et c'est peut-être ce
qui m'a poussée au meurtre. On ne sait guère pourquoi on tue. Tout se passe au fond de nous-mêmes
dans un remous noir où la raison ne voit même pas
clair après coup. (*Au commissaire.*) Il se peut que j'aie
tué pour me délivrer de la considération de Mlle Vorbe
et de ses pareils. Le fait est que je me sens maintenant
très à l'aise... Allez vite répandre la nouvelle au-dehors,
mademoiselle Vorbe. Ne perdez pas une minute et,
dans un moment, toute la ville fera la haie pour me
voir passer entre deux agents. D'ailleurs, en vous attar-
dant ici, vous risquez de vous trouver enfermée avec
le mort.

Mlle VORBE, poussant un cri.

Oh!

LUCIENNE

N'est-ce pas, commissaire, on ferme la boutique.

Fin du dernier acte.

TABLE

BRODARD ET TAUPIN — IMPRIMEUR - RELIEUR
Paris-Coulommiers. — France.
05.508-III-2-6852 - Dépôt légal n° 2584, 1ᵉʳ trimestre 1963.
LE LIVRE DE POCHE - 4, rue de Galliéra, Paris.

LE LIVRE DE POCHE

VOLUMES PARUS ET A PARAITRE EN 1963

LE LIVRE DE POCHE
EXPLORATION

A PARAITRE DANS LE 2e TRIMESTRE 1963

LE LIVRE DE POCHE
CLASSIQUE

VOLUMES PARUS ET PARAITRE DANS LE 1er SEMESTRE 1963